Draw dros
y
tonnau bach

Draw dros y tonnau bach

Alun Jones

Argraffiad cyntaf—2001

ISBN 1 84323 051 8

Dymuna'r cyhoeddwyr gydnabod cymorth
Cyngor Llyfrau Cymru.

*Argraffwyd yng Nghymru gan
Wasg Gomer, Llandysul, Ceredigion*

Drama radio a gomisiynwyd gan BBC Radio Cymru oedd y nofel hon yn wreiddiol. Cafodd ei darlledu Sul y Pasg 1999 dan ofal Mr Aled P. Jones. Dymunaf ddiolch i Aled a'r BBC a'r actorion.

Daw'r dyfyniadau o *The Lake Isle of Innisfree*, *To a Squirrel at Kyle-Na-No*, a *Running to Paradise* o *Collected Poems of W. B. Yeats* (Macmillan, 1933)

1

Roedd Emyr yn eistedd wrth y bwrdd. A hithau'n noson braf o Fehefin cynnar byddai pawb arall yn lan môr yn 'drochi neu'n brolio neu'n herian neu'n gwrando ar y bois calad. Neu ella bod rhywun wedi cael pêl a'i bod hi'n gêm o bump neu bymtheg bob ochr ar gae'r Ysgol Fach. Eisteddai Heddwyn, ei dad, yn ei gadair; eisteddai Dilwen, ei fam, ar ei soffa. Edrychai'r ddau'n frwd a bodlon ar y teledu. Ar y pared lathen uwchben y set ddu a'i sgrîn hirsgwar fflat roedd llun y Côr yn eu blesars llwyd a'u tei-bôs melyn. Roedd ei dad yn cael eistedd yn y sêt flaen am ei fod yn Drysorydd y Côr. Ar lwyfan ar y sgrîn fflat roedd y Côr yn eu blesars llwyd a'u tei-bôs melyn. Roedd ei dad yn cael sefyll yn y rhes flaen am ei fod yn ganwr mor dda. Sbîd iŵr jŷrni, meddai'r lleisiau anadlyd. *I will arise and go now*, sibrydodd Emyr wrth y llyfr o'i flaen.

Roedd dau gi gwydr glas a gwyn ar y sil ffenest y tu ôl iddo a phot o flodau plastig rhyngddyn nhw. Canolbwynt yr hanner dresal hanner cwpwrdd gwydr mewn pren smalio wrth y pared rhwng y ddau ddrws oedd ei lun o yn ei grys a'i dei ysgol. Doedd o ddim wedi gwenu digon yn hwnnw. *And go to Innisfree*, sibrydodd wrth y llyfr. Ar y silffoedd y tu ôl i'r llun roedd amryfal degins yn sgleinio'n lân a llyfr ei dad yng nghonghl un silff. Rhwng y teledu du a'r drws roedd llun priodas mewn ffrâm dew o dderw plastig ar ganol y pared, dwy wên gamera i'r camera, a mymryn o awel yn bygwth codi fêl o sidan gwyn. Dim ond ei lyfr a'i ddau benelin o oedd ar y bwrdd pren smalio sgleiniog fel y dresal. *And a small cabin build there*, sibrydodd.

Doedd dim angen yr hen dric o guddio papur ar un peth mewn llyfr ar bwnc arall. Astudio'i Faths oedd o i fod i'w wneud ar gyfer arholiadau'r haf ond gan fod y sylw ar gyngerdd y teledu roedd y copi cyfrifiadur o Lake Isle ar ben y llyfr Maths ar y bwrdd yn agored i'r byd. Roedd o wedi bod yn rhan o gynulleidfa'r teledu. Tasai'n mynd i hynny roedd o wedi bod ym mhob perfformiad ers cyn iddo gofio, ond roedd y tro yma'n fwy arbennig nag arfer yn ôl y sôn. Nid pawb oedd yn cael canu mewn castell.

Of clay and wattles made.

'Bydd ddistaw!'

Roedd llais Heddwyn yn ffrom, swta. Heb yn wybod iddo roedd Emyr wedi dechrau llefaru'r geiriau. Hanner llais hanner anadl, fel y Côr ar ei funudau tawel, ond nid am yr un rheswm. A ffliwc ddi-chwaeth oedd yr un iaith i'r ddau ddarn o farddoniaeth hefyd. Va Pensiero oedd Sbîd Iŵr Jŷrni i fod a Lake Isle oedd Lake Isle i fod. Ella nad oedd o'n dymuno bod yng nghanol criw glan môr neu gae ysgol ar y funud ond roedd o'n dymuno bod allan. Roedd o'n dymuno – gwir ddymuno – bod chwe milltir i ffwrdd. Mi fyddai'n braf yno. Ac fe ddylai pawb wybod mai rhywbeth i'w wneud oedd Maths ac nid rhywbeth i'w astudio a'i ddysgu fel Hanes neu Ddaearyddiaeth.

'*Nine bean-rows will I have there . . .*'

'Taw! fel dw i'n deud wrthat ti!'

Nid disgyblaeth côr oedd yn gwneud i lais Heddwyn godi mor ddiymdrech.

'Gwranda ar dy dad!'

Roedd llais Dilwen yn naturiol uchel prun bynnag. 'Daeth hi ddim i'r drafferth o droi ei phen i weiddi.

'Yn canu 'ta'n clebran?'

'Be?' gwaeddodd Dilwen.

Sibrydiad oedd ei gwestiwn o. I fod.

'Dim,' atebodd mor ddi-hid ddiniwed ag y medrai.

'Tewch!' gwaeddodd Heddwyn.

Chydig bach o ryddhad mai 'tewch' ddwedodd o ac nid 'taw'. Roedd Dilwen wedi bod yn y gynulleidfa hefyd, a rŵan roedd hi a Heddwyn yn dal i edrych ac ail-fyw, yn nabod nodau cyfarwydd, yn nabod wynebau cyfarwydd. Ac roeddan nhw'n recordio'r holl beth. Ac roedd pob aelod o'r Côr yn ei recordio fo hefyd. A hithau'n noson braf o Fehefin. Roedd Lake Isle bron yn gyfa yn y cof, ond mi fedrai Emyr fynd â'r papur allan hefo fo prun bynnag. Mi âi'r beic chwe milltir mewn ugain munud fwy na heb. Ond doedd o ddim wedi magu plwc i'r siwrnai honno hyd yma. Rhyw ddydd, rhyw noson. Ond heno, allan oedd o i fod, nid bod yma'n gwrando ar y blydi twrw.

'Blydi twrw.'

Roedd o'n sibrwd y geiriau, nid eu cadw yn ei feddwl. Rhoes gip ar ei fam a'i dad, rhoes gip ar y sgrîn. Gwnaeth olwg sur cyn dechrau ebychu'n sbeitlyd, hanner mewn tiwn hefo'r Côr.

'Bûch bûch bûch!' Y gamp oedd eu gwneud bron yn glywadwy, y nesaf peth at gyrraedd clustiau. 'Bwcad tractor Robin Tŷ Rhent.'

Chwe milltir i ffwrdd oedd cartref Teleri a dim ond unwaith roedd o wedi gweld ei mam a'i thad, a hynny mewn noson rieni ddiffaith. Er roedd yn bosib ei fod wedi'u gweld nhw o'r blaen, cyn i bethau fynd yn fwy perthnasol, ond fyddai dim pwrpas sylwi arnyn nhw bryd hynny. Yn y noson rieni roeddan nhw'n chwerthin hefo'i gilydd ac ar ei gilydd. Roedd ei dad a'i fam yn gwneud hynny hefyd yn ddigon aml. Ond roedd tad a mam Teleri'n chwerthin hefo Teleri hefyd, a hitha hefo nhw.

'Nine bean-rows will I have there . . .'

'Faint o weithia mae isio deud yr un peth wrthat ti?' gwaeddodd Dilwen.

O, Duw Duw. Digon oedd digon ar noson braf o Fehefin cynnar.

'Mae o'n hen ddigon uchal,' meddai gan wneud horwth o ymdrech i beidio â swnio'n herfeiddiol. 'Maen nhw'n 'i gl'wad o o drws nesa.'

Dylai wybod yn well. Fydd dy dad a dy fam yn gweiddi? gofynnodd pan welodd o Teleri drannoeth y noson rieni. Na fyddan, byth, meddai hithau'n swil.

'Paid â f'atab i'n ôl!' gwaeddodd Dilwen eilwaith, fel hobi.

'Mi glywa i Mos a Kate yn dawnsio iddo fo.'

Mymryn bach o hiwmor ella. Shedan. Tro cynta i bob dim.

Nac oedd.

'Mi wna i chdi ddawnsio munud!'

'Byddwch ddistaw!' gwaeddodd Heddwyn ar ei union. 'A finna'n trio gwrando!'

Doedd y lleisiau ddim yn wag. Dychwelodd llygaid ofnus sydyn i'r papur. Dychwelodd llygaid eraill at eu perfformiad. Mor sydyn a diymdrech roeddan nhw'n gallu mileinio. Allan, roedd oriau o haul ar ôl.

a hive for the honey-bee.

Haul diwedydd Mehefin cynnar. Doedd dim i'w guro. Mentro bywyd.

'Rydach chi'n 'i wybod o prun bynnag, a chitha'n canu yn'o fo.'

'Paid â bod mor bowld hefo dy dad!'

Duw Duw. Digon ydi digon.

'Do'n i ddim yn bowld. Mae o'n 'i wybod o, 'tydi?'

'Wel tewch, 'mwyn Duw!' bloeddiodd Heddwyn.

Eto roedd 'tewch' yn hytrach na 'taw' yn fymryn o siwrans. Trodd y ddau ben yn ôl at y teledu. Canodd y Côr am of jôi and of hôm. Duw Duw.

'Nine bean-rows will I have there . . .'

'Arglwydd mawr!' Neidiodd Heddwyn ar ei draed a rhuthro at y bwrdd. 'D'o weld y llyfr 'ma!' Plyciodd y llyfr i'w ddwylo. Eiliad a gymerodd i lygaid gwyllt gymharu'r papur a'r llyfr. 'Maths ydi hwn!' Roedd cynddaredd sydyn yn meinio gwefusau. 'Dydi hwn ddim yn boitri!'

Yng ngwefr ei berfformiad ar eu teledu roedd o wedi anghofio mai Maths oedd y gorchymyn. Ond o flaen ei lygaid roedd Emyr yn ei dynnu'i hun ato.

'Nid ar gyfar 'rysgol mae o,' atebodd Emyr mor rhesymol ag y medrai.

'Ar gyfar be 'ta?'

Cododd Emyr fymryn ar ei sgwyddau. Weithiau roedd hynny wedi bod yn ddigon i ddarbwyllo nad oedd deunydd storm yn y brŵas. Roedd hynny wedi gweithio'n amlach nag ymddiheuro.

''I licio fo ydw i,' meddai'n ddi-ffrwt a'i lygaid ar y llyfr Maths.

''I licio fo ydw i,' meddai Heddwyn mewn llais babi. 'Ac rwyt ti'n fardd rŵan, wyt ti?' bloeddiodd.

Daliai'r Côr i sbidio'i jyrni.

'Mond 'i licio fo,' meddai Emyr.

Nid cyfaddefiad oedd i fod yn sŵn ei lais. Ond doedd y tric ddim yn gweithio. Anaml y gwnâi. Doedd o ddim wedi tarfu ar berfformiad o'r blaen chwaith. Rŵan roedd o'n sylweddoli hynny.

'Ac mi eith hwn â chdi drwy fywyd, eith o?'

Roedd gwaedd yn well na sbeit. Roedd dwrn yn well na dilorniad. Duw Duw.

'Well na'r blydi sŵn allan o diwn 'na,' atebodd, ac roedd ganddo lais.

Roedd ganddo fwy o lais na'i dad.

'Be ddudist ti?'

Roedd wedi bod isio'i ddweud o ers blynyddoedd. Roedd clust i ganu ac ella bod clust i bethau eraill. Ond hogyn yn erbyn dyn oedd hi. Fel pob tro. Hogyn yn erbyn dyn a dynes, fel pob tro. Ceisiodd fagio gydag anrhydedd.

'Wel mae o!'

Rhy hwyr.

'Y llipryn bach powld!' gwaeddodd Dilwen.

Roedd y cyngerdd mawreddog a'r tei-bôs taclus yn eu castell cadarn yn ebargofiant. Brasgamodd Heddwyn rownd y bwrdd.

'Aros di'r . . .'

'Yeats ydi o!' crynodd Emyr ar ei draws. 'Werddon . . .'

Roedd y fuddugoliaeth yn llenwi llygaid ei dad eisoes.

'Blydi Padis yn well rŵan, ydyn nhw? Mi ro i ti allan o diwn!'

Hwnnw oedd yr arwydd. Roedd Dilwen ar ei thraed ac yn dynesu atyn nhw.

'Rwbath 'dan ni 'i isio, mae'n rhaid i ti gael 'i ddifetha fo!' gwaeddodd.

Roedd Emyr yn codi ac yn bagio. Roedd yn bagio nes bod ei gefn yn dynn yn erbyn y pared.

'Dydi o ddim mor blydi dewr rŵan!' sbeitiodd Heddwyn.

'Bob un tro!' gwaeddodd ei fam eto. 'Rwyt ti'n meddwl y cei di ddeud be fynnot ti hyd y tŷ 'ma!'

Clusten ganddi hi ddaeth gyntaf. Clusten sydyn yn clecian llosgi ochr ei wyneb y munud hwnnw. Roedd o'n gwybod amdani ond unwaith eto roedd o'n rhy ara i'w hosgoi. Llaw wedyn yn gafael yn ei wallt ac yn ei hyrddio o'r pared. Llaw arall, neu ella yr un un, ar draws ei gefn. Dwrn caled migyrnog yn ei ochr. Clec clusten arall.

'Chdi a dy Badis, y penci bach anghynnas! Y snob annymunol!'

Roedd y Lake Isle yn ddistaw. Roedd y jyrni'n dal ar sbîd. Roedd ei grys-T gwyn hyd ei sgwyddau a llaw bymtheg ar hugain a naw diwrnod oed yn disgyn arnyn nhw ac ar ei gefn noeth i ychwanegu at y marciau a dwrn pymtheg ar hugain a saith diwrnod oed yn disgyn ar ei gorff pedair ar ddeg a phum mis a hanner oed i ychwanegu at y marciau ac roedd drws cwpwrdd yn agor ac yntau'n gweiddi Na! i ddim pwrpas ac roedd y rhaff neilon yn clymu am ei gefn a'i frest a'i ochrau i ychwanegu at y marciau ac yntau'n cael ei hyrddio i'r carped croesau coch a melyn a'i jîns glas golau'n cael ei blycian heb ei agor i lawr ei goesau a'i siorts yn cael eu plycian i lawr ar ei ôl a'r rhaff yn disgyn a disgyn arno i ychwanegu at y marciau ac yntau yn ôl y drefn wedi hen stopio gweiddi a dim ond synau bychan rhwng ochneidio a griddfan yn dod ohono. A'r perfformwyr yn dal i berfformio.

*   *   *

Roedd Kate bron yn hanner cant oed. Roedd poen colli dau yn y groth a'r trydydd yn bedwar diwrnod oed wedi mynd yn rhan o'i hwyneb. Roedd pob gwên yn drist, roedd pob tristwch yn hardd ddwys. Roedd ei gwallt wedi britho, roedd ei chefn yn bygwth crymu. Cerddwch fwy a gadwch i'ch breichiau siglo'n naturiol hefo'ch corff, meddai'r doctor wrthi.

Rŵan roedd hi'n sefyll gan ryw lechu y tu ôl i lenni'r ffenest gefn. Roedd y boen yn ei hwyneb yn waeth, roedd y dwyster yn ei llygaid yn bryder o'r newydd. Roedd yr hogyn drws nesa mewn rhyw hanner cuddfan y tu ôl i gwt yr ardd, yn sefyll yn ddychrynllyd o lonydd ar wahân i'r cryndod yn rhan ucha'i gorff. Yr hyn oedd yn ei dychryn yn waeth oedd bod golwg mor ddibwrpas anobeithiol yn ei holl osgo. Roedd ei henaid yn dyheu am redeg ato ond ni fedrai symud yr un cam. Cyn hir roedd yr hogyn yn dod o'i guddfan fach ac yn mynd bron fel hen ŵr o'r ardd ac i lawr llwybr y cefn tuag at yr afon. Safodd hithau lle'r oedd.

'Be weli di?'

Roedd Moses wedi dod i'r drws heb iddi'i glywed. Roedd o ddwy flynedd yn hŷn na hi, wedi derbyn eu siom ac wedi derbyn y drefn. Bellach ni wnâi fawr ddim ei gynhyrfu. Daeth at Kate i fusnesan hefo hi drwy'r ffenest.

14

'Mae hi newydd fod yn homar o gwrbins eto,' meddai Kate, ei llais yn fflat, drist.

'Am be rŵan, tybad?'

Roedd yr un anobaith yn ei lais o.

'Ers pa bryd mae angan rheswm?' gofynnodd hithau'n dristach.

Rhoes Moses ei law yn dyner ar ei hysgwydd a gwasgu y mymryn lleiaf. Aeth i eistedd.

'Dydi'r creadur yn cael yr un fodfadd i rebela,' meddai.

'Mae'n waeth na hynny. Gwna rwbath, wir Dduw,' ychwanegodd Kate bron heb yn wybod.

Roedd panig ei gorchymyn yn newydd a'i hedrychiad arno'n daer a thrist, bron fel yr hen siomedigaethau. Roedd bron yn amhosib peidio â bod yn chwerw, chwerw, hyd yn oed ar ôl y blynyddoedd oll. Roedd llawer sgwrs wedi bod am y gweiddi mynych a'r synau a allai fod yn synau curo o'r drws nesaf ond y cytundeb dieiriau bob tro oedd nad oedd fiw dangos heb sôn am ymyrryd er ei fod o wedi trio awgrymu'n gynnil a thrwy'r drws cefn wrth Heddwyn o dro i dro.

'Mi ddôn i ben siawns,' cynigiodd ymhen ychydig, yn euog yng ngwegi'r geiriau. 'A phan ddôn nhw,' cynigiodd wedyn ar ychydig o frys, 'mi welan nhw na fydd o fawr o ffrindia hefo nhw.'

'Nid yr adag honno sy'n 'y mhoeni i,' meddai Kate ar ei hunion.

'Mae 'na ben draw ar drio awgrymu.'

Clywai o y geiriau hynny'n wacach fyth.

'Ar draul Emyr mae pob awgrym.'

'Paid, wir Dduw.' Roedd yr holl syniad yn mynd drwyddo. Ceisiodd chwilio am ei reswm, am unrhyw beth heblaw tywyllwch geiriau Kate a llywaethdra'i eiriau ei hun. 'Mae o i'w gl'wad yn ddigon llawan 'i sgwrs.'

Roedd hynny'n fwy di-glem fyth. Gwridai.

'Cymer olwg iawn ar 'i lygaid o a deud wedyn 'i fod o'n hogyn hapus.'

Doedd hynny ddim yn cael ei ddweud am y tro cyntaf chwaith.

'Gwna rwbath.'

Mor dawel.

'Mi fedrwn ni wneud petha'n waeth,' meddai o toc.

'Ne' wneud dim a chael gweddill ein hoes i ddifaru.'

'Uffar dân!'

'Dos ar 'i ôl o.'

'Be?' gofynnodd, yn codi'i ben yn sydyn.

'Mae o newydd lusgo at yr afon. Dos ar 'i ôl o,' ymbiliodd Kate.

Cododd Moses, braidd yn ffrwcslyd. Cododd hithau. Gafaelodd amdano a'i wasgu'n iawn.

'Dw i'n dy garu di,' sibrydodd yn ei glust. 'Bob un fodfadd ohonat ti. Ond mae'n rhaid i ni wneud rwbath.'

Rhwbiodd Moses ei wefusau ar ei thalcen, dim ond prin gyffwrdd. Roedd ochenaid fechan yn y rhwbiad.

'Paid â mynd i lawr y llwybr. Dos y ffor arall, rhag ofn iddyn nhw ama,' meddai Kate.

Gwasgodd ei law, gwasgiad sydyn, cyfarwydd. Aeth Moses allan. Roedd canu bocs o'r drws nesa.

*   *   *

16

Y gerdd ddaeth gyntaf, a'r llais wedyn. Fedrai Emyr ddim credu mai llais yr athro Saesneg ym mlwyddyn gynta'r Ysgol Fawr oedd yn gyfrifol am blannu'r Lake Isle ynddo fo, neu siawns na fyddai rhywfaint arall o farddoniaeth o unrhyw fath o unrhyw iaith wedi glynu hefyd ar wahân i'r *Sur le pont d'Avignon* unllinellog ddiddim. Roedd o wedi dysgu'r Lake Isle y noson honno, ac wedi'i chofio a'i byw beth am rai misoedd. O dipyn i beth aethai i gefn ei feddwl ac o hynny'n angof bron. Ond ddechrau'r wythnos roedd o ar ei fol yn ei wely yn chwarae hefo'i radio gan symud o un darllediad i'r llall a chan obeithio ei fod wedi llwyddo i osgoi storm. Ac yna daeth y ddau air *of Innisfree*. Arhosodd. Ar ôl eiliad o dawelwch roedd y gerdd yn cael ei llefaru, yn cael ei llefaru'n naturiol hudolus gan Wyddel. Hen hen recordiad yn cloi'r hud. Chafodd o ddim gwybod pwy oedd y llais. Dychmygodd mai llais Yeats ei hun oedd o. Setlodd ar hynny am ei fod yn ffitio ac yn plesio. Drannoeth roedd y llyfr wedi'i fachu o lyfrgell yr ysgol a'r wers Gyfrifiadureg yn cael ei throi'n wers deipio a'r llais yn llond ei ben. Cafodd gopsan, ond yr unig beth ddaru'r athro oedd awgrymu ella y byddai'n syniad go-lew sbelio *glimmer* yn yr un ffordd ag y gwnaeth Yeats. Y munud nesaf roedd yr athro'n dyfynnu'r pennill olaf o'i gof ac yn ennill ffrind newydd.

> *Nine bean rows will I have there, a – a*

'Y diawlad.'

> *a – a hive for the honey-bee,*
> *And live alone in the bee-loud glade.*

Dŵr bach oedd yn yr afon wrth ei draed. Bron nad oedd ei sibrwd ochneidiog o'n uwch ei sŵn.

'Y diawlad. *There midnight's all a glimmer* . . . Naci
. . .'

> *And I shall have some peace there, for peace*
> *comes dropping slow,*
> *Dropping from the veils of the morning to where*
> *the cricket sings;*

Rŵan mae *There midnight's all a glimmer*, a rwbath –
and noon a purple glow. Y diawlad. Mi gân nhw weld.

> *And evening full of the linnet's wings.*

Mi fedra i roi trap i ddal llinos. Mi fedra i afael ynddi hi
a'i mwytho hi fymryn nes iddi weld nad oes raid iddi
fod ofn, a rhoi hadyn yn 'i phig hi i weld a lyncith hi o,
a'i gollwng hi ar ôl iddi lonyddu a'i chalon hi stopio
curo'n wyllt. Mi goda i 'y nwylo i fyny'n ara deg bach
a'u dal nhw'n uchal a theimlo'r awel yn chwara â
'ngarddyrna cyn 'i gollwng hi. Os eith hi i ffwr mi fydda
i wedi colli ond os arhosith hi ar y gangan 'gosa mi
fydda i wedi ennill. Fedran nhw ddim gwneud hynny.'

Roedd yn sefyll ar lan ei hoff dro yn yr afon, cerrig
crynion a gro glân ar ei ochr o, a'r dŵr bach yn taro
gwaelod y dorlan yr ochr arall cyn cael ei orfodi i droi,
yn gwisgo'r dorlan ac yn llenwi'i ochr o mor ddi-stŵr a
di-frys. Roedd llwyni y tu ôl i'r tro i'w guddio, eithin a
mieri gan mwya, ambell ddraenen. Roedd o'n gallu
dengid a byw ei fyd yma. Ond fedrai o ddim eistedd ar
y cerrig rŵan. Roedd ei gorff i gyd yn brifo mor
ofnadwy, yn llosgi mor ofnadwy. Pam nad oedd arfer
i'r peth? Roedd y nesa'n waeth bob gafael.

'Ond myn uffar chân nhw mo'r gora arna i.'

Brifed nhw. Llosged nhw.

'Chân nhw blydi ddim a dyna fo.

I will arise and go now, for always night and
*   day*
I hear lake water lapping with low sounds by
*   the shore;*

Mae'n siŵr bod sŵn afon yn newid yn amlach. Mae o'n newid yn amlach na sŵn 'u hen gôr nhw, beth bynnag. Côr y Bôr. Brain y Brwgaij. Naci, mae brain yn dda i rwbath. Mi fedrwn i ddal pysgod hefyd. Ond mi fyddai 'na flas mwg arnyn nhw, 'fath â llynadd. Dw i ddim yn cofio be sydd wedyn. Rwbath *road, or on the pavement.* Mi gân nhw weld. Nhw a'u blydi côr a'u blydi dyrna a'u blydi rhaffa neilon. Tasan nhw'n 'u clymu nhw am wddw'r naill a'r llall.'

Roedd o'n brifo, roedd o'n llosgi. Yma ar ei gerrig wrth yr afon roedd yn gallu wylo'n dawel heb neb i'w sbeitio, heb neb i'w alw'n fabi na gweiddi pa mor blydi dewr wyt ti rŵan tybad. Roedd o'n gallu plygu drwy'i boen ar ei gwrcwd ar y cerrig crynion a gadael i'w ddagrau a'i wylo ei sgrytian heb i neb boeri gwawd arno fo.

'Mi gân nhw weld.'

Oeddan siŵr Dduw, roeddan nhw'n arbed ei wyneb a'i freichiau a phobman ar ei goesau oedd yn y golwg o dan siorts chwaraeon yr ysgol. Roedd yntau wedi dysgu gofalu pryd i newid, ac i ddod o hyd i esgus bob tro roedd isio nofio.

'Pam na ddangosi di iddyn nhw 'ta?' gofynnodd i ddŵr yr afon.

Ond roedd o wedi'i ofyn ganwaith. Cwestiwn i rywun arall oedd o prun bynnag.

Ymhen hir a hwyr, cododd. Roedd codi'n gymaint o

boen. Roedd codi'n brifo, roedd o'n llosgi. Arhosodd
yno i sefyll wrth y dŵr.

I will arise and go now, and go to Innisfree,
And a small cabin build there, of clay and
*   wattles made;*
Nine bean-rows will I have there, a hive for the
*   honey-bee,*
And live alone in the bee-loud glade.

Roedd sŵn. Edrychodd i lawr y llwybr. Roedd pen yn
dynesu yn y pellter.

'Pwy 'di hwn? Mos.'

Roedd y dagrau'n dychwelyd er ei waethaf.
Doeddan nhw ddim wedi cilio, tasai'n mynd i hynny.
Damia nhw.

'Mi fasai'n well gen i i Mos a Kate fod yn dad a
mam i mi na'r rheina.'

Roedd o wedi'i feddwl o ganwaith. Dau dŷ bron yn
sownd yn ei gilydd, ond bod tŷ Mos a Kate fymryn yn
llai na'u tŷ nhw, a hwythau yno cyn i Emyr gael ei eni.
Dim cymdogion eraill hefo'r tai agosaf dros chwarter
milltir i ffwrdd. Byth sŵn ffraeo'n dod o dŷ Mos a
Kate, byth un yn annymunol hefo'r llall na hefo neb
arall. Yn union fel tad a mam Teleri.

Roedd o wedi'i feddwl o ganwaith.

'Dw i wedi'i ddeud o rŵan, 'ndo?'

Roedd o wedi'i ddweud o rŵan. Roedd o wedi'i
ddweud o o'r diwedd. Wedi'i ddweud o wrth yr afon.
Ar ei hoff dro, ar ei hoff gerrig.

'Mi olcha i 'ngwynab ne' mi ffendith.'

Roedd plygu'n gymaint o boen. Roedd 'mestyn ei
freichiau i'w ddwylo gael at ddŵr bach yr afon yn

codi'r fath boen yn ei frest a'i gefn a'i ochrau a'i sgwyddau a phob blydi modfadd arall. Pa ddŵr guddiai ddagrau? Cwpanodd ei ddwylo a'u dowcio yn yr afon a thaflu'r dŵr dros ei wyneb. Claddodd ei wyneb mewn cwpanaid arall.

Roedd Moses ar ei warthaf. Cododd yntau fymryn rhag i'w gefn ddangos rhwng ei grys-T a'i jîns.

'Chwilio am sgodyn wyt ti?' gofynnodd Moses.

'Naci,' atebodd yntau, yn cadw'i wyneb i lawr. 'Wedi bod am dro ydach chi, Mos?'

Gwyddai fod Mos yn astudio.

'Ia, am ryw funud,' meddai yn y llais di-hid yr oedd mor hoff ohono. 'Dwyt ti ddim yn yfad y dŵr 'ma, wyt ti?' gofynnodd yn sydyn.

'Nac'dw.'

'Dydi o ddim yn dryst, cofia.'

Roedd posib sôn am rywbeth arall, diolch i Mos.

'Mae 'ma bysgod hefyd. Ylwch, uwchben y garrag fflat 'na. Ac mae 'na un newydd fynd dan y dorlan ac un arall wedi mynd i fyny.'

'Ond paid di ag yfad dim ohono fo,' rhybuddiodd Moses, bron fel athro, peth diarth iddo fo.

Ond roedd y demtasiwn. Roedd Mos a Kate mor glên, mor garedig, mor ddibynadwy. Deud, deud, deud, gwaeddodd.

'Yn lan môr buoch chi?'

'Ia. A rhyw feddwl y down i'n ôl gyda'r afon.'

Dw i isio i chi fod yn dad a mam i mi.

'Ffor'ma y bydda i'n mynd bob tro,' meddai, ella fymryn yn wyllt. 'Mae'n well.'

'Dach chi'n gwybod yn iawn bellach be sy'n digwydd acw, be mae'r rheina'n 'i wneud i mi.

'Fyddi di ddim yn mynd hefo'r hogia?' gofynnodd Moses. 'Roedd 'na griw ohonyn nhw ar lan môr.'

Roedd hi'n amlwg ei fod yntau isio dweud rhywbeth. Am y tro cyntaf cododd Emyr ei lygaid. Gwelodd lygaid Moses. Amhosib. Y ddau'n dal a dal i syllu i fyw llygaid ei gilydd. Roedd ei ateb yn wanllyd ddiargyhoeddiad.

'Bydda, pan fydda i isio.'

Dechrau, dechrau, dechrau. Trio torri'r ias. Trodd ei lygaid i lawr, dim ond modfedd neu ddwy, a setlo ar ben ysgwydd Mos. Trio, trio torri'r ias.

'Ydi dy fam a dy dad yn iawn?' gofynnodd Moses yn sydyn. 'Welis i neb heddiw.'

'Ydyn. Edrach ar ryw gonsat ne' rwbath oeddan nhw.' Yn ôl lygad yn llygad. 'Y Côr.'

Dim ond yn y bwriad pell oedd posib dechrau. Dim ond mewn bwriadau clyfar.

'Ella'r a' i i lawr rŵan.'

'Dyna chdi 'ta.'

Dim ond mewn bwriadau clyfar, meddai Emyr. Ffenast gefn yn ddewrach na wyneb yn wyneb, meddai Moses.

Doedd Emyr ddim am gychwyn chwaith.

'Orffennoch chi'r llofftydd, Mos?' Ac yntau'n gwybod yn iawn.

'Do,' meddai'r dihidrwydd, yn rhannu'r cyfle. 'Welis i ddim angan gwneud dim iddyn nhw.'

Awê.

''Dach chi'n gweld mwy o'r môr o'ch ffenast llofft gefn chi na ni. Mae coedan Top Gors ar ffor ffenast ni.'

Awê.

'Ond mae'r llofft 'i hun yn llawar llai,' taniodd Moses.

'Mi fydda i'n licio sbio ar y môr,' rhuthrodd Emyr.

Procia drwy chwerthin, meddai llais Kate.

'Tasat ti'n dŵad â dy betha di i'n llofft gefn ni, fyddai 'na ddim lle i chdi na'r gwely.'

Un dau tri awê go iawn.

'Ofynnis i rioed amdanyn nhw.'

Ar ei ben. Ar ei ben. Mor hawdd.

Mi weithiodd hefyd.

'Cael petha heb ofyn amdanyn nhw?' gofynnodd Moses heb boeni pa mor ffug oedd ei syndod. 'Mae'r oes yn newid. Mae'n braf arnat ti.'

'Nac'di.'

Ar ei ben. Be haws?

Mor hawdd nes gyrru Moses oddi ar ei echel.

'Wel . . .'

Ond roedd Emyr wedi tanio.

'Pan ofynnis i am fwr adar mi ges golff babis. Pan ofynnis i am sbenglas mi ges enseiclopidia. Ofynnis i ddim wedyn, naddo?'

Ond roedd y tân yn diffodd. Roedd yn ei deimlo'n diffodd. Arhosodd eiliad. Roedd y ddau'n ymbil ar ei gilydd, mor ofnus o onestrwydd.

'Wela i chi.'

Aeth Emyr heibio i Moses heb edrych arno. Fedra fo ddim rhedeg, dim ond mynd.

Ni symudodd Moses. Dim ond syllu.

'Gogoniant!' sibrydodd dros y lle.

Trodd. Mor blydi llywaeth. Arhosodd. Ond roedd gwaedd fer.

'Mos!'

Trodd. Roedd Emyr yn dychwelyd ato.

'Be?'

'Wnewch chi ddim deud wrthyn nhw, na wnewch?'

Roedd yr ofn a'r onestrwydd yn llygaid Emyr yn ei lorio.

'Be, 'rhen foi?' gofynnodd, bron yn gryg.

'Be ddudis i rŵan. Am y petha.'

'Na wna i, siŵr,' meddai.

Safodd y ddau gyferbyn â'i gilydd, yn hollol lonydd. Yn gwybod, yn gwybod. Yn methu. A dŵr bach yr afon yn gyfeiliant.

'Na hyn,' meddai Emyr yn sydyn.

Cododd ei grys-T. Edrychodd ei lygaid ofnus i fyw llygaid Moses. Llanwodd y llygaid ymbilgar.

'Mae'r ddau wrthi, Mos.'

Daeth y crys i lawr.

'Peidiwch â deud. Nac wrth Kate chwaith. Ne' mi fydd hi'n waeth arna i.'

Doedd dim amdani ond rhedeg, poen neu beidio. Mynd a mynd. Diflannu i lwyni a dal i fynd. Doedd o ddim am droi i weld a oedd Moses yn trio'i ddilyn chwaith. Roedd sŵn tonnau'n dod i'w glustiau cyn iddo aros. Trodd. Nid oedd olwg o Moses.

'Dw i wedi'i gwneud hi rŵan, 'ndo? Rhy hwyr rŵan, 'tydi? Waeth gen i. Nhw a'u hen bresanta. Dw i am fynd hefyd. Mynd go iawn tro 'ma. Mi ffendia i le, rwla'n ddigon pell o fa'ma, rwla'n ddigon pell oddi wrthyn nhw, oddi wrth y rheina.'

> *and noon a purple glow,*
> *And evening full of the linnet's wings.*
> *I will arise and go now, for always night and day*

24

I hear lake water lapping with low sounds by the
shore;
While I stand on the roadway, or on the
pavements grey,
I hear it in the deep heart's core.

Dyna 'di'r diwadd. Dw i'n 'i gwybod hi rŵan. Am
byth. Wna i byth 'i hanghofio hi eto. *I hear it in the
deep heart's core.* Mi fasa'r pafina di-liw'n haws 'u
diodda na hyn. Brwsh dannadd a bagiad o ddillad, ne'
ddwyn rhai o lein ddillad pobol fawr. Mi chwilia i am
waith, – mae pawb yn deud 'mod i'n edrach yn hŷn
nag ydw i. Er mae'r diawliad gwirion yn deud hynny
am bawb. Mi ga' i hostel, ne' fflat. Ne' gwt hefo walia
pridd cynnas. Mi groesa i yn fa'ma. Be dw i haws â
mynd i lan môr i chwerthin am ben Bert yn deud fel
mae Dad yn hen foi iawn ac yn uffar o gês?'

Roedd o yn y golwg rŵan, yn sefyll ar y dorlan
fechan a cherrig digon da i'w galw'n gerrig croesi o'i
flaen. Roedd o wedi'u croesi ganwaith. Safodd yno'n
llonydd llonydd a'i gorff yn brifo'n ddagrau ac yn
llosgi'n ddagrau, yn edrych drwyddynt ar y dŵr yn
chwarae'n ddi-stŵr heibio i'r cerrig croesi gan greu
trobyllau bychan byrhoedlog yma ac acw. Roedd
gwelltyn yn sleifio heibio yn ddidrafferth. Faint
gymerai dŵr y môr hefo hwnnw tybed? Mi fyddai'n
llawer haws dal pysgod hefo genwair na chosi dan eu
boliau fel roedd Mos wedi'i ddangos ac fel roedd o
wedi llwyddo i'w ddysgu. Doedd dim prinder afonydd,
doedd dim prinder pysgod. Doedd dim prinder
arfordiroedd a chlogwyni chwaith. Yr unig beth oedd y
byddai angen lle sefydlog. Fedrai o ddim cario genwair
hefo fo i bob man fel sach cefn drwy'r adeg. Mi fyddai

busneswrs yn busnesa ac yn cario straeon. Châi o ddim llonydd.

Cwt hefo waliau pridd cynnes o olwg pawb. Mi fedrai gadw'i enwair yn hwnnw. Mi fedrai ddal cwningod a'u blingo nhw. Ambell sgwarnog, ambell ffesant. Neu guddiad yng nghanol dinas a chael gwaith a fflat iddo'i hun. Llonydd i fyw a llonydd i fod. Cael tynnu'i grys i wres yr haf. Dim ond llonydd.

Roedd wedi croesi'r cerrig ganwaith a mwy. Ond roedd wedi anghofio am funud bod angen camau bras neu naid. Roedd y boen yn diasbedain. Llithrodd.

'O, damia!'

Ofn y dyfodol du oedd ei reg syml. Daeth o'r dŵr yn wlyb ac yn fwd at ei ganol. Ymlwybrodd.

O'r diwedd roedd Kate yn cysgu, ond dim ond am fod Moses wedi aros yn hollol lonydd a distaw am hydoedd. Gwyddai sut fath o gwsg oedd o hefyd. Doedd o ddim yn cysgu nac ar feddwl gwneud hynny. Roedd ymhell wedi tri, ac eisoes yn ddigon golau iddo weld o amgylch y llofft.

Wedi munudau syfrdan, a munudau eraill llonydd, roedd wedi mynd i chwilio am Emyr o lwyn i lwyn. Nid oedd wedi'i weld. Daethai'n ôl adra ac roedd Kate wedi darganfod cyn iddo roi ei ben drwy'r drws. Deith 'na'r un o'n traed ni drwy'r drws 'na bora fory cyn inni wneud rwbath ynglŷn â'r peth oedd ei dyfarniad drosodd a throsodd. Ond unwaith yn rhagor doedd dim dyfarniad ar union natur y rwbath, dim ond cytundeb bod oes y gwrando disymud ar ben.

Awr arall lonydd, effro. Un ffordd o'i dwyllo'i hun i gysgu oedd cymryd arno ei fod wedi anghofio diffodd i lawr neu gloi'r drws a phenderfynu nad oedd yn rhy swrth i godi i wneud hynny ac y gwnâi yn y munud. Ond doedd hynny ddim yn gweithio heno. Llusgodd yr amser o'r un munud diddim i'r llall nes iddi fynd yn hanner awr wedi pedwar a golau tyner y bore i'w weld drwy'r llenni cau. Doedd o ddim am symud oherwydd gwyddai y byddai hynny'n deffro Kate.

Ond roedd sŵn. Sŵn bychan oedd o, ond yn ddigon i glust anniddig. Sleifiodd o'r gwely. Ni symudodd Kate. Roedd yn wag drwy'r ffenest. Aeth i'r llofft gefn. Symudodd yn ôl o'r ffenest ar unwaith. Daliodd i edrych. Wedi i bopeth dawelu a llonyddu aeth at y ffenest a phwyso arni. Daliodd a daliodd i edrych allan.

'Er mwyn pwy mae dy fodlonrwydd di?' gofynnodd iddo'i hun mor onest ag y gofynnodd ddim erioed, ac roedd arno isio clywed ei lais yn gofyn hefyd.

Wedi'i fodloni'i hun hefo'r ateb, mor onest ag y medrai ei enaid fod, sleifiodd yn ôl i'r gwely. Nid i gysgu.

*   *   *

O dipyn i beth cynyddodd cleciadau'r llestri.

'Ydi hwn am godi?' gofynnodd Dilwen i rywun-rywun. 'Emyr!' gwaeddodd.

'Sylcs,' meddai Heddwyn o'r bwrdd. 'Mi aeth i'r afon 'na'n fwriadol. Mi geith o herian.'

'Emyr!' gwaeddodd Dilwen yn uwch fyth. 'Pam mae plant erill i gyd yn iawn?' hanner gwaeddodd wrth rywun-rywun, 'pawb ond hwn?'

'Mi fasa Nhad wedi fy hiro i,' chwyrnodd Heddwyn.

'Tyrd!' gwaeddodd Dilwen, wedi cyrraedd y drws.

'Aros, myn diawl.' Roedd Heddwyn yn brasgamu heibio iddi ac yn cymryd y grisiau fesul dwy. 'Wyt ti am ddŵad pan mae dy fam yn gweiddi arnat ti? Wyt ti'n meddwl y cei di'i lordio hi yn fan'na drwy'r dydd?'

Roedd drws llofft Emyr yn union gyferbyn â phen y grisiau. Rhuthrodd Heddwyn iddo.

'Wel yr Arglwydd mawr!'

Aeth i'r stafell molchi, aeth i'r toiled, aeth i'w llofft nhw, aeth i'r llofft wag, pob drws yn cael clep yn ei dro.

28

'Dydi o ddim yma!'

Roedd Dilwen yn ei ymyl mewn chwinciad. Roedd y drysau'n clecian eto.

'Lle mae o?' Roedd ei gwaedd yn banig yn syth bìn. 'Lle mae o?'

Roedd llyfrau ysgol wedi'u tywallt ar ganol llawr llofft Emyr ac wedi'u gadael felly, a chlawr ambell un wedi camu dan ei bwysau. Roedd drorau wedi'u gadael yn agored neu'n hanner agored, a dillad wedi'u tywallt hefyd yma ac acw. Doedd dim hanes o'i fag.

'Be mae o wedi'i wneud? Gwna rwbath!' gwaeddodd Dilwen, yn dal i redeg.

Roedd Heddwyn wedi mynd i'r stafell molchi.

'Dydi'i frws dannadd o ddim yna chwaith,' meddai'n hurt.

Roedd Dilwen wedi rhedeg i lawr y grisiau a thrwy'r drws ffrynt. Clywai Heddwyn hi'n ailddechrau gweiddi. Rhuthrodd i lawr y grisiau ar ei hôl.

'Tyrd i mewn, wir Dduw!' arthiodd, i ddim pwrpas. *growl* 'Tyrd i'r tŷ!' gwaeddodd.

Roedd y drws ffrynt yn cau'n glep a Dilwen yn rhuthro heibio iddo i'r gegin fel tasai o ddim yno.

'Ella'i fod o yn y cefn!' gwaeddodd.

'Sut fedar o fod yn y cefn?'

'Be wn i?' sgrechiodd Dilwen.

Plyciodd y drws cefn yn agored. Rhedodd drwyddo.

'Emyr! Emyr!'

'Mi ceith yr uffar hi tro 'ma.'

Roedd dau figwrn yn glaerwyn wrth ei ochr. Ond roedd Dilwen yn deffro'r sir. Aeth Heddwyn i'r drws cefn.

'Tyrd i mewn, ddynas!'

29

Doedd o ddim haws.

'Ar ôl y cwbwl mae o wedi'i gael gynnon ni,' hisiodd.

Rhegodd. Roedd llais arall, llais Kate, a bloeddio Dilwen yn torri ar ei draws.

'Be maen nhw'n mynd i'w ddeud?' gofynnodd Heddwyn, mor annisgwyl nes ei ddychryn ei hun.

Roedd y lleisiau'n dynesu.

'Mi'i panna i o. Mi'i blinga i o.'

Roedd Dilwen wedi rhuthro i'r tŷ o flaen Kate. Doedd yr un arwydd ei bod wedi cymryd sylw ohoni o gwbl.

'Ella'i fod o yn yr atig!' gwaeddodd.

'Hefo'i frws dannadd?'

Gweiddi hynny ddaru Heddwyn hefyd.

'Dos i fyny!' gwaeddodd Dilwen yn ei wyneb. 'Ella ma' chwara un o'i dricia mae o. Dos i fyny!'

'Fuo gynno fo rioed dricia.'

Roedd Kate yn cael ei hanwybyddu'n llwyr.

'Dos!'

'Ella basa'n well i chi fynd, Heddwyn,' meddai Kate.

Doedd hi ddim yn bwriadu unrhyw awgrym yn ei llais, ond roedd hi'n ei deimlo'n llawn ohono. Ac erbyn hyn roedd Moses wrth ei chwt, a 'daeth o ddim i ofyn be oedd yn bod. Rhoes Heddwyn un edrychiad i'w lygaid a throi draw y munud hwnnw.

'Ne' ella basa'n well i Moses fynd,' rhuthrodd Kate, awgrym neu beidio. 'Dos di.'

'Mi a' i.'

Trodd Heddwyn draw a brysio i fyny'r grisiau. Eto doedd Moses yn gofyn dim.

'Y beic!' gwaeddodd Dilwen. 'Lle mae'r beic?'

Rhuthrodd allan i'r cefn a'i braich yn rhoi hergwd i foliau Kate a Moses o'r ffordd. Roedd yn union fel rhoi hergwd i lenni neu gadair, yn gyfan gwbl amhersonol. Syllodd Moses ar ei chefn yn rhedeg o'r golwg drwy'r drws.

'Dydi o na'r beic ddim yna,' meddai'n dawel.

'Sut gwyddost ti?' gofynnodd Kate yn llawer cyflymach na fo.

'Mae o wedi mynd ers hannar awr wedi pedwar.' Doedd o ddim mor hamddenol â'i lais. 'Mi godis i i'r ffenast wrth gl'wad y sŵn.'

'Wel y diawl gwirion i ti!'

'Weli di fai arna i?' gofynnodd. 'Ne' arno fo?'

'Pam na fasat ti wedi 'neffro i?'

'Am 'mod i wedi gweld y briwia a'r cleisia 'na neithiwr.'

'Wel pam na fasat ti wedi cnocio'r ffenast arno fo 'ta?'

'I be? I'w stopio fo?'

'Wel ia debyg!' Erbyn hyn roedd Kate yn myllio. 'Oes gen ti unrhyw syniad be wyt ti wedi'i wneud?'

'Mi ddudis i wrthat ti neithiwr 'u bod nhw bob lliw. Ddudis i ddim 'u bod nhw bob oed hefyd. Ond maen nhw. Dydi un gweir ddim yn cael cyfla i wella nad ydi'r nesa ar 'i chefn hi.' Roedd ei anadl yntau'n byrhau. Ceisiodd ei chymedroli. 'Mi fydd o'n iawn.'

'Iawn?' Roedd Kate yn gafael fel gele yn ei fraich. 'Be am yr holl blant 'ma sydd wedi dengid a neb wedi cl'wad dim ohonyn nhw byth wedyn? Be am y cyrff 'ma sy'n cael 'u darganfod ymhen pythefnos?'

'Mi fydd yr hogyn yn iawn.'

31

Doedd Kate ddim ar feddwl cymryd ei hargyhoeddi.

'Mae'n rhaid i ti ffonio'r plismyn rŵan hyn,' gorchmynnodd.

'O'r gora. Ond nid ti fydd yn deud wrtha i pryd i gau 'ngheg.'

Roedd sŵn traed ar y grisiau.

'Wel mae'n rhaid i ti ddeud wrth Dilwen a Heddwyn beth bynnag,' sibrydodd Kate.

'Rhy hwyr, 'tydi? Maen nhw'n gwybod cymaint â fi erbyn hyn, prun bynnag. A mwy.'

Daeth Heddwyn i lawr. Rhoddodd Kate a Moses gip ar ei gilydd o weld ei lygaid. Roedd Dilwen yn rhedeg yn ôl o'r ardd.

'Mae'r beic wedi mynd!' gwaeddodd.

'Mae o wedi mynd â'r pres oedd gynno fo yn ei ddrôr,' meddai Heddwyn wrthi fel tasai neb arall yno. 'Ac mae fy walat i'n hollol wag,' ychwanegodd a'i lais yn codi a Kate a Moses yn rhoi cip arall ar ei gilydd. 'Ro'n i wedi codi tri chant a hannar o bunna ddoe!' gwaeddodd.

'Ffonia'r plismyn!'

'Lle mae dy bwrs di?'

'Ffonia nhw!'

A Kate a Moses yn rhoi cip ar ei gilydd.

*   *   *

Gostwng sedd y beic ddwy fodfedd a lapio tair jersi'n glustog amdani wnaeth y tric. Doedd reidio ddim mo'r peth mwyaf dymunol dan haul wedyn chwaith, ond roedd o'n hyfrydwch o'i gymharu â'r ddwy filltir gyntaf pan na fedrai gyffwrdd y sedd am bris yn y byd.

Tasai o wedi lapio jersis y troeon cynt byddai pawb yn chwerthin am ei ben.

Pris yn y byd. Unwaith y cafodd lôn fach a diogelwch ei llonyddwch iddo'i hun roedd wedi dod oddi ar y beic yn y guddfan gyntaf i gyfri'r stad.

'Waw!'

Bron na wnâi'r stad fel bandejis. Llwythi o bapurau deg ac ugain punt. Y tro cynta rioed iddo fod yn lleidr, a dyna pam y dychrynodd ar y cyfri cynta. Pedwar cant a deg o bunnau oedd ganddo fo yn ei ddrôr; rhwng y rheini a walat ei dad a phwrs ei fam roedd ganddo naw cant a hanner o bunnau ac ugain ceiniog erbyn gorffen cyfri.

'Uffar gors!'

Hyd yn oed tasai o'n gwario deg punt y diwrnod am fwyd roedd ganddo dros dri mis o gynhaliaeth.

'Uffar gors!'

Cuddiodd yr arian.

'Dw i wedi gadael pob dim arall iddyn nhw prun bynnag, ar wahân i 'meic a 'nhent. Nhw oedd pia nhw. Mi gân nhw'u gwerthu nhw. Mi cymrith rhywun nhw, a nhwtha fel newydd. Mi gân fwy o fargan na fi.'

Roedd y beic yn mynd yn well rŵan. Roedd cydwybod yn tawelu a'r boen yn lleddfu. Rhyw fath o leddfu. Ella mai cyffro'r newydd oedd yn gyfrifol, ac nad lleddfu ohoni'i hun roedd hi. Roedd hi'n rhy fuan o lawer i hynny prun bynnag. Dyna un o wersi byw hanes. Ond doedd dim gwahaniaeth. Oherwydd byth eto. Roedd mymryn bach o awel i'w wyneb ar ôl ambell dro yn y ffordd, ond dim digon i'w arafu. Roedd osgoi ambell grac ac ambell dwll a rhimynnau a thwmpathau dirifedi o dail bron yn reddfol.

'Mae'r lonydd bach 'ma'n brafiach ac yn saffach. Os ydyn nhw wedi ffonio'r copars go brin y daw'r rhcini i chwilio amdana i ar hyd y ffyrdd yma. Ac os ca' i gop, mi ddangosa i iddyn nhw. Ac os na choelian nhw, mi ddaw Mos i ddeud be welodd o neithiwr. A be mae o a Kate wedi'i gl'wad lawar tro, tasan nhw ond yn deud hynny. Dydw i ddim yn mynd yn ôl. Beth bynnag ddiawl ddigwyddith, dydw i ddim yn mynd yn ôl. Mae 'na ddigon o lefydd. Mae 'na ddigon o ddewis.'

Nid yn unig roedd y lonydd bach yn brafiach ac yn saffach, roedd hi'n haws clywed ei hun yn siarad arnyn nhw hefyd.

'Pan o'n i dy oed di, 'ngwas i, ro'n i'n ymladd deinosors yn y Creimîa. Blaw amdana i, mi fasa Hitlar yma o hyd. A Nassar a Saddam.'

Y pensiwnîar diflas ar yr aelwyd yn ei dro.

I will arise and go now, and go to Innisfree,

'Dyna pam dw i'n licio hon. Dyna pam dw i'n licio Yeats. Be ti'n feddwl, licio Yeats? Dw i'n gwybod dim arall o'i waith o. 'Di o'm ots. Gwneud rwbath mae hon, nid disgrifio petha'n dwll, 'fath â barddoniaeth arall. Dyna pam dw i'n 'i licio hi. William Butler . . .'

'Uwadd! Yr hen Wil Bytlar! Nabod o'n iawn, achan. Fi 'dysgodd o sut i sgwennu'i englynion – odli a ballu. Fo sgwennodd yr emyn 'na i Bont Borth pan welodd o long yn mynd yn styc odani am nad oedd 'na le iddi fynd drwadd am mai blwmars Cwîn Fictoria oedd 'i hwylia hi.'

Chwarddodd yn braf. Chwerthin dros y lôn fach. Chwerthin wrth y gwrychoedd, wrth y tar a'r tail odano.

34

'Hei! Dw i wedi chwerthin. Grêt! Sleifar! Tro cynta ers . . .'

'Tro cynta ers yr Infestitiwar.'

Hyd yn oed os mai am ben ei jôc ei hun oedd hynny. Doedd dim ots am hynny chwaith. Enw priod y pensiwnîar diflas oedd Taid. Dyna pam roedd o'n ei fynnu o'n gynulleidfa yn hytrach na'r hogia eraill. Hobi fawr Taid ydi chwerthin cymaint am ben ei jôcs ei hun nes ei fod o'n plygu gyda'r ddaear. Byth am ben jôcs rhywun arall chwaith. Hei! Hobi fawr Taid oedd chwerthin cymaint am ben ei jôcs ei hun. Yr hen fyd oedd hwnnw. Byth eto. Byth eto.

Uffar gors! Roedd sŵn seiren. O'r tu cefn iddo yn rhywle. Chwiliodd ei lygaid drwy banig. Dewisodd y giât hefo'r gwrychoedd uchaf o'i phoptu a welai o dair. Tawodd y seiren fel roedd yn mynd drwyddi, ond arhosodd yno, yng nghysgod y gwrych ar gyrion llond cae o wair. Roedd yn bum munud bach prun bynnag. Tynnodd far o siocled ac afal o'i fag a'u bwyta i gyd a chuddiodd bapur y siocled yn y gwrych. Roedd undonedd y seiren wedi ailddechrau yn y pellter ac roedd yn pellhau. Daeth yntau o'i guddfan ac ailgychwyn. Roedd yn boenus, ond roedd o'n rhydd. O dipyn i beth aeth y seiren yn rhy bell i glust, ond roedd o'n dal i feddwl amdani, a'r meddyliau hynny'n graddol fynd yn fwy a mwy i'w hystyried fel rhywbeth rhwng deufyd.

'Mi wn i lle mae'r ynys hefyd. A dw i am fynd yno. Ond nid rŵan. Rhag ofn 'u bod nhw wedi gweld 'y ngholli i.'

Pethau a fu oedd pensiwnîars diflas a phethau eraill.

'Mae'r Heddlu'n chwilio am bêl ddyrnu a

ddihangodd ar gefn beic bore heddiw. Daeth y drosedd i'r amlwg pan aed â gŵr a gwraig canol oed hawddgar i'r ysbyty yn dioddef o ddiffyg defnydd ar eu dyrnau a'u rhegfeydd.'

Yn enwedig y pethau eraill.

'Dyma be 'di rhyddid, ylwch.'

Byddai tri mis yn hen ddigon i setlo dyfodol digleisiau.

> *for always night and day*
> *I hear lake water lapping with low sounds by the*
> *shore;*

'Dyma be 'di rhyddid, ylwch.'

*　　　*　　　*

'A dyna i ni lanast rŵan 'ta,' meddai Kate.

Panad iddyn nhw'u hunain am y tro cyntaf y diwrnod hwnnw, a diwrnod o wyliau heb ei ddisgwyl i'r ddau, os gwyliau hefyd. Doedd ganddi hi na Moses yr wyneb i fynd i weithio a gadael eu cymdogion yn eu sioc. Roedd yr heddlu wedi galw ac wedi mynd drwy'r ddau dŷ.

'Dydw i'n difaru dim,' meddai Moses. 'Cau 'ngheg ne'i hagor hi'n llydan.'

'Mor llydan fel na sylweddolist ti nad oedd gen ti neb ond Emyr fedrai gadarnhau dy stori di. Nid ar y plismyn mae'r bai mai'r rhieni a'r cymdogion ydi'r rhai cynta i gael 'u hama pan mae petha fel hyn yn digwydd.'

Ar y pryd roedd wedi bod yn brofiad digon annymunol. Ond erbyn hyn roedd Moses yn gallu codi sgwyddau bron yn ddi-hid.

'Wn i ddim oedd raid iddyn nhw neidio i'r fath gasgliada mor sydyn chwaith,' meddai.

Y peth oedd yn dal i godi croen gŵydd arno oedd eu bod wedi mynd drwy ei silff lyfrau. Roedd gan Kate rywbeth arall i boeni amdano.

'Sut dw i'n mynd i wynebu Dilwen rŵan, Duw a ŵyr.'

'Dim ond meddwl sut mae hi'n mynd i dy wynebu di,' atebodd Moses ar ei union. 'Synnwn i damad na fydd y ddau'n crio o flaen camera cyn fory.'

'Paid â bod mor galad, wir Dduw.'

'Biti na fasa cefn ac ochra Emyr mor galad.'

Roedd yn anorfod bod Heddwyn a Dilwen wedi cael hanes Moses ac Emyr y noson cynt. Am funud roedd Kate wedi dychmygu pethau dychrynllyd am y ddau'n rhoi'r bai ar Moses ond doeddan nhw ddim wedi cydnabod posibilrwydd cleisiau na briwiau heb sôn am luchio bai. Ella'i fod o wedi syrthio oddi ar goedan, cynigiodd Heddwyn ar ôl hir brocio. Ella'u bod nhw'n peintio briwiau ar ei gilydd yn yr ysgol, cynigiodd wedyn ar ôl hirach brocio.

'Mi fydd yr hogyn yn iawn. Mi fedar edrach ar 'i ôl 'i hun,' meddai Moses wedyn, eto fyth. Roedd fel tôn gron bellach.

'Ella nad fo fydd yn penderfynu hynny.' Roedd Kate hefyd.

Gwyddai Moses na fyddai o wedi bod yn dda i ddim yn ei waith tasai o wedi mynd yno. Roedd yn aros yn stond ar adegau mynych nad oedd dim lleihau arnyn nhw i synnu a dychryn, hyd yn oed ar ganol sgwrs.

'I feddwl 'i fod o wedi cuddiad hyn ar hyd yr adag, drwy bob sgwrs, pob joban a chymwynas a chwarddiad. Blaw 'mod i wedi gweld . . .'

'Mi glywist Heddwyn a Dilwen yn deud wrth y plismyn na fedar o wneud dim drosto'i hun,' meddai Kate ar ôl y pwl priodol o ddistawrwydd.

'Be arall fasan nhw'n dymuno'i gredu?' gofynnodd yntau ar ei union.

3

Mos oedd wedi dweud sut i ddal deryn bach. Llinyn,
pric a gogor. Doedd gan Emyr ddim gogor, ond roedd
ganddo linyn a'r nifer a fynnai o briciau a brigau.
Roedd wedi gwneud ffrâm o fonion eithin a chrys ar ei
phen. Braidd yn llachar oedd y crys a chuddiodd o hefo
gwellt a brigau yn union fel roedd o'n cuddio cleisiau.

'Fydd dim angan iddo fo guddiad rhai fyth eto, mae
hynny'n blydi saff.'

Erbyn canol y pnawn cynt roedd o wedi mynd yn
hen ddigon pell ac wedi dioddef mwy nag yr oedd yn
ei gymryd arno wrth wneud hynny. Roedd wedi prynu
digon o fwyd a ffrwythau am ddiwrnod neu ddau o
siop garej ac wedi setlo ar goedlan ar ochr mynydd fel
cuddfan gan fod digon o le yr ochr draw iddi i godi'i
dent o olwg pawb. Cariodd ei feic yno rhag ofn pynjar.
Cymrodd yn ganiataol fod y nant fechan yn ddigon
agos at ei tharddiad ar y mynydd a'i lethrau gwag i'r
dŵr fod yn ddigon pur i llnau'i ddannedd hefo fo.
Molchodd ei wyneb a'i freichiau a'i draed ac unman
arall. Treuliodd weddill y diwrnod yn chwilio'r coed a
sleifio i'w cwr i sbaena. O ben arall y cae wrth y coed
gallai weld tŷ ffarm yn y pellter, dri lled cae arall i
ffwrdd. Roedd yno blant yn chwarae, ac ambell waedd
yn dod ato. Prin iawn oedd y drafnidiaeth ar y ffordd
ger gwaelod y goedlan. Ella nad oedd hi'n mynd
ymhellach na chyffiniau'r mynydd, er nad oedd Emyr
wedi gweld arwydd i ddynodi hynny yn ei cheg.

Tasai o'n prynu sbenglas ysgafn mi gâi o fwy o hwyl yn gwylio adar. Roedd yn denu ambell un at geg y dent hefo mymryn o friwsion ac ambell gneuen o'i baced dihalen o'r garej. Roedd yn torri'r cnau yn fân am ei bod yn dymor magu. Siawns nad oedd ganddo ddigon o bres i brynu sbenglas. Rhyw ddeg diwrnod o dolc a wnâi hynny i'r gronfa yn ôl syms y bore. Gwrthododd y syniad arall a ddaeth iddo ar amrantiad.

Clywsai sŵn lori'n mynd heibio yr ochr draw. Am funud roedd o'n methu dirnad pam roedd yn wahanol i sŵn lori arferol. A dyma fo'n sylweddoli mai'r gwahaniaeth syml a rhyfeddol oedd nad oedd o'n berthnasol. Roedd popeth wedi newid yn llwyr mewn un diwrnod ac un siwrnai feic. Newid yn llwyr. A dyma fo'n meddwl yn sydyn be tasai o'n sŵn seiren. A phenderfynu nad oedd popeth, eto, wedi newid yn llwyr, dim ond yn anelu y ffordd iawn.

'Dim ond mendio rŵan,' meddai wrth fwyalchen.

Roedd yn wyth y bore arno'n deffro.

'Fydd 'na ddim cychwyn hannar awr wedi pedwar heddiw felly, na fydd? 'Di o'm ots.'

Roedd yn ddeg arno'n codi. Nid ei fod yn ddiog. Siwrneiau byrion oedd y berthynas orau rhwng rhaffau neilon a dyrnau a chledrau dwylo ar sbîd a beic, nid deugain milltir a mwy. Roedd poenau hen a newydd. Ond doedd dim ots. Y bore hwn roedd gorchfygu dagrau'n her na bu erioed ei bath. A mi enillodd yn rhacs. Dim ond fo a'i dent. Neb i fusnesa na chega na sbeitio dim. Byth eto.

'Tro cynta rioed imi gael rôl ham i frecwast. Mi ga i un bob dydd o hyn ymlaen os dw i isio.'

Aeth â'i frws dannedd a'i bâst at y nant, ynghyd â

40

chrys-T a sanau a siorts y diwrnod cynt. Roedd ei
ddannedd yn dal yn gyfa dan ei dafod a mentrodd fwy
o'r un peth a geiriau Mos yn llond ei ben. Un peth roedd
yn benderfynol o'i wneud oedd ei gadw'i hun yn lân.
Roedd Ian oedd yn perthyn rhywbeth i Kate a thua saith
mlynedd yn hŷn nag Emyr wedi mynd i'w ffordd ei hun
ers rhai blynyddoedd ac yn destun siarad i bawb oedd yn
dymuno hynny. Roedd Emyr wedi'i weld yn Dre yng
ngwyliau'r Pasg ac wedi mynd ato i drio sgwrs. Hyd yn
oed allan ar y stryd roedd o'n drewi o bell.

''Da i ddim 'fath ag Ian.'

A dyma fo'n meddwl mai dyna fyddai'n siŵr o
ddigwydd tasai o'n ceisio dwyn sbenglas, o lwyddo
neu o fethu. Doedd o ddim am ddwyn. Setlo a chael
gwaith. 'Dâi o ddim yr un fath ag Ian.

Tynnodd ei grys-T glân yn ofalus. Mentrodd fymryn
o'r dŵr oer braf ar ei gorff. Saethodd y dagrau mor
gyflym ag o annisgwyl.

'Basdads!'

Ac yntau wedi penderfynu eu bod drosodd am byth.
Aeth ar ei liniau o flaen y nant a golchodd ddillad y
diwrnod cynt yn ei dŵr. Doedd dim angen sebon, dim
ond rhwbio chwys beic oddi arnyn nhw; fyddai o ddim
wedi rhoi sebon yn nŵr y nant prun bynnag. Rhwbiodd
a rhwbiodd.

'Basdads.'

Byth eto. Aeth â'i ddillad gwlyb yn ôl at ei dent a'u
hongian oddi ar frigau y tu ôl iddi. Fe gâi'r diwrnod
fod yn un o orffwys ar wahân i geisio dal deryn ac un
gorchwyl arall.

'Reit 'ta. Ella nad oes yma linos, ond mi neith un o'r
lleill y tro. Mi brofith yr un pwynt.'

41

Roedd y trap yn barod.

'Briwsion a mymryn o gnau mwnci racs. Wê bach. Mi sathra i'r gwellt gynta iddyn nhw gael gweld y briwsion yn iawn. Well i mi guddiad y llinyn hefo gwellt.'

Rhwygodd wellt a'u sathru ar ben y llinyn. Doedd ei lais yn amharu dim ar y coed mwy nag oedd o ar yr awyr iach wrth reidio y diwrnod cynt. Nid fel pob llais. Ond yr hen fyd oedd hynny. Aeth i'r dent a symud y sach cysgu a gorwedd ar ei fol arno a'i wyneb at yr agoriad.

'Dowch 'ta. Mae 'ma wledd i rywun.'

* * *

Eisoes roedd y tŷ'n rhyfedd. Roedd gwedd ddiarth ar y cyfarwydd; roedd rhywbeth yn ddisymwth amherthnasol yn y pethau oedd wedi bod yno o'r dechrau.

'Daeth Heddwyn ddim i weithio. 'Daeth Dilwen ddim chwaith. Cwta un ar ddeg, ac roedd Dilwen wedi bod ar y ffôn ar y rhif arbennig a gawsai gan yr heddlu am y drydedd waith ers y bore, a'r ochr arall am y drydedd waith heb lawer o obaith o gael gair i mewn. Roedd eu cynnig o gymorth proffesiynol i leddfu sioc wedi'i regi. Am y trydydd tro aeth y ffôn yn glec yn ei ôl.

Aethai cymdogion yn 'betha drws nesa 'na' mewn un ymadrodd diarwybod; aethai'r cymdogion chwarter milltir a phellach yn 'fusneswrs' ac yn 'fusneswrs diawl'.

Y bore oedd yn ddistaw, amser brecwast oedd yn wag. Roedd diwrnod a nos, yn enwedig nos, wedi dyrnu fesul dobiad anhrugarog sydyn i'w chyfan-

merciless

soddiad arwyddocâd yr hyn yr oedd 'y petha drws nesa 'na' wedi'i wneud, a'r ffordd annealladwy ddi-ffrae yr oeddan nhw wedi'i wneud o.

'Y diawlad clwyddog hefyd. Chafodd o rioed ddim ond y gora gynnon ni. A mi ofalith y bygars na fydd y lle 'ma'n ddim ond straeon. Wel mi'u dyffeia i nhw.'

Roedd Heddwyn yn dod i mewn o'r cefn. Dim ond symud oedd o, symud o un lle annioddefol i le arall annioddefol.

'Dydyn nhw ddim yn trio o gwbwl.'

'Doro ddau ne' dri diwrnod iddo fo.' Nid yr ofn yn llais ei wraig oedd yn ei lais o. 'Ne' tan gorffennith y pres. Ne' tan geith o'r pynjar cynta.'

'Dw i 'i isio fo'n ôl!'

Am eiliad roedd golwg hurt yn llygaid Heddwyn wrth edrych arni a chlywed yr angerdd dirybudd.

'Mi ddaw,' meddai. 'Mi ddaw.'

*   *   *

'Mi'i triwn ni hi eto. Mae'n beryg y bydd 'y nghinio a 'y swpar i i gyd wedi mynd fel hyn, fesul briwsionyn.'

Dim ond un oedd ei angen i brofi. Roedd yn dda nad oedd brys. Yr ymgais gyntaf oedd yr orau. Roedd wedi chwerthin hyd ddagrau gwahanol. Roedd y deryn wedi pigo'i ffordd bytiog a gwyliadwrus i'r trap. Roedd y llinyn wedi cael plwc fel plwc sgota a'r pric wedi saethu ymaith a'r trap wedi aros yn union fel yr oedd, fel tasai'r bonion a'r crys a'r to ffug wedi'u smentio i'w gilydd. Y drwg y troeon wedyn wrth gwrs oedd ei fod yn gorfod ailadeiladu'r trap o'i gwr ar ôl pob plwc. Ond roedd pawb arall yn yr ysgol.

Daeth sgwarnog o rywle. Yno, reit o'i flaen. Tawelodd ei fyd. Am ychydig roedd yr anifail yn trwyna o gwmpas, yn ddigon agos iddo weld symudiadau'r anadl yn y corff. Canfu ei fod yn anadlu mewn cytgord, yn hollol ddiarwybod. Yna roedd pen yn codi. A chlustiau'n codi. Am mai un llygad oedd yn edrych roedd yn anodd penderfynu a oedd cysylltiad ai peidio. Roedd rhywbeth yn amhersonol yn yr holl beth. Yna, i ffwrdd â'r sgwarnog. Dim ond mynd, nid ei gl'uo hi.

'Reit dda.' Dilynodd ei lygaid y sgwarnog. 'Peth fel'na fyddai camp. Gafael mewn sgwarnog a'i fwytho fo. Y drwg ydi y byddai hi'n uffar o job 'i ladd o a'i fyta fo ar ôl hynny. Mwytha ne' fwyd.'

Tybed a fedrai o fyw ar natur? Dim ond fo a'i dent. Pysgod, cwningod, dillad yn mynd yn rhy fach, gaeaf oer. Na.

Ond roedd symudiad nes.

'Nico.' Roedd y sgwarnog yn cael ei anghofio ar amrantiad. 'Mi neith y tro yn iawn. Yr un teulu. Tyrd rŵan, boi, 'na chdi.'

Roedd y nico'n ymddwyn yn addawol iawn hyd yma. Roedd yr un peth wedi bod yn wir am lawer o'r lleill hefyd. A'i anadl mor ysgafn a thawel â phosib, caeodd ei law yn dynnach am y llinyn. Tynhaodd ei gorff.

'Cam ne' ddau eto . . .'

Aeth pen y nico i mewn, heibio i'r pric simsan. Pigodd. Petrusodd. Pigodd.

'Iêê!'

Doedd ei waedd ddim yn waedd. Dim ond gorfoledd hapus. Rhedodd o'r dent.

'Gan bwyll, gan bwyll. Paid â dychryn, boi.'

Roedd gwybod faint i'w afael heb wasgu bron yn reddf. Teimlodd y galon fechan yn wyllt yn erbyn ei fysedd.

'Dyna ni. 'Na chdi, 'na fo. Yli, mwytho mymryn bach ar dy ben di. Dim isio i ti fod ofn, yli.'

Roedd wedi codi'r deryn bach gyferbyn â'i lygaid, a'r rheini'n pefrio'n braf yn ei lwyddiant. Roedd curiad y galon yn ei ddwylo'n gostegu yn y mwythau.

'Grêt! Dim i'w ofni, yli.'

Dychwelodd yn araf i'r dent gan sibrwd ei fwythau. Ildiodd i'r demtasiwn o rwbio gwefus ysgafn ar ben y nico.

'Reit 'ta. Dyma i ti damad. Does gen i ddim hada. Tria fo. Mae o'n neis.'

Roedd wedi rhoi'r wledd fechan ar gledr ei law. Doedd y nico'n cymryd dim sylw ohono.

'Tria'r tamad cneuan 'ma 'ta. Tyrd, boi.'

Ella bod y deryn wedi cael digon ar ei ffordd i'r trap. Erbyn meddwl, doedd bwydo ddim yn rhan o gyfarwyddiadau Mos.

'Aw! Dos reit drw 'llaw i y tro nesa.'

Roedd y peth mor ddirybudd. Dim ond pig yn saethu a gwanu. Ond wedi eiliad roedd y boen yn ddymunol.

'Grêt! Tisio tamad arall?'

Daliodd ddarn o gneuen rhwng ei fys a'i fawd. Gweithiodd hynny'n llai poenus. Un gusan fach fythol ddiolchgar arall.

'Mi gei di fynd rŵan. Diolch, mêt. Rydan ni ar i fyny.'

Mor syml â hynny. Cododd ddwy law mewn seremoni fechan. Teimlodd awel ar ei arddyrnau.

'Paid â mynd ymhell.'

Agorodd ei ddwylo. Hedfanodd y nico ar ei union.

'Damia. Mae o wedi mynd.'

Dilynodd llygaid fymryn yn siomedig y deryn.

'O, wel. Dim bai ar y cynnig.'

Fyddan nhw ddim wedi gallu gwneud hyd yn oed hynny.

'Nac'di! Mae o'n dod yn ôl! Iêê! 'Dan ni wedi ennill!'

Roedd dau ddwrn fry yn yr awyr. Roedd naid fechan. Roedd poen codi dwyfraich yn angof.

'Mynd rownd un waith i ddathlu dy ryddid a dod yn ôl i dy batsh.'

Setlodd y nico ar gangen bron uwchben y dent.

'Mae hynny'n fwy na wna i.'

Tynnodd ei grys o'r trap ac ysgwyd y gwellt a'r mân frigau oddi arno. Ar ei fol yn y dent roedd wedi ailfeddwl rhywfaint ar ei gynlluniau. Roedd arno ffansi aros diwrnod neu ddau yma gan ei fod yn llecyn mor ddiogel a chudd. Roedd ei dent yn dywyll ac yn anodd ei gweld o bell a dim ond ei ddillad yn sychu y tu ôl iddi oedd yn tynnu sylw. Aeth â'r rheini yr ochr arall i'r llwyn i orffen sychu. Rhannodd ei gyfoeth i gyd rhwng ei bocedi a chaeodd y dent. Cododd ei feic. Ond wedyn, 'nelo deng munud. Tynnodd y dent a'i lapio. Cuddiodd hi a'i fag yn y llwyn. Cariodd ei feic i'r lôn fach. Roedd y tair jersi am y sedd o hyd ac roedd eu hangen. Aeth ddeg milltir cyn teimlo'i bod yn ddiogel i wneud y joban nesaf. Ond yn gyntaf cafodd bryd iawn o fwyd poeth mewn tafarn am fod Mos yn dweud bob amser bod bwyd tafarn yn llawer gwell na bwyd caffi. Doedd pobol Côr y Bôr ddim yn gwybod dirgelion felly. Doedd o ddim yn siŵr a gâi o fynd i mewn ond chynhyrfodd neb o'i weld. Llwyddodd i led-eistedd ar y sedd feddalaf yn y lle, a chafodd wledd.

*   *   *

'Moses! Ffôn.'

Roedd yr is-reolwr yn nrws y swyddfa allan. Roedd rhuthro Moses fel tasai o ddeng mlynedd ar hugain yn fengach wrth fynd heibio iddo. Roedd y ffôn llwyd ar ben papur newydd ar y bwrdd, yn gacennau bychain pob siâp o hen faw lle nad oedd bysedd neu glustiau yn ei llnau'n naturiol. Cododd Moses o.

'Ia?'

'Helô, Mos!'

Llais yn frwdfrydedd i'w seiliau, yn fuddugoliaeth braf ddiddrama.

'Emyr!'

'Dw i'n iawn siŵr,' meddai'r brwdfrydedd syml i lenwi'i glust. 'Hei, Mos! dw i newydd ddal nico mewn trap. Uffar o drap da . . .'

'Lle'r wyt ti?'

Roedd anadl Moses yn fyr ar ôl ei bwt o ruthro anghyfarwydd ac o gael y newyddion yr oedd wedi bod yn eu disgwyl mor ddiamynedd drwy'r bore mor uniongyrchol. A hyd yn oed mewn cyn lleied o eiriau, rhyw gymysgedd digri rywsut o ryddhad a cherydd yr oedd yn ei glywed yn ei lais ei hun, a hefyd swadan o werthfawrogiad bod gan Emyr stori am rywbeth heblaw ei gyflwr.

'Well i mi beidio deud hynny, 'tydi? Doedd gen i ddim gogor . . .'

47

'Be sy ar dy ben di, y lembo bach?'

Tawelodd y brwdfrydedd ar ei union.

'Mi wyddoch chi hynny, 'gwyddoch Mos? A be sy ar 'y nghefn i. A phob man arall sy ddim yn 'golwg.'

Doedd o ddim yn swnio'n alarus, ac roedd Moses yn gwerthfawrogi hynny'n syth hefyd. Ysgol brofiad, meddyliodd drachefn wrth i'w anadl ddechrau cymedroli, a'r gwerthfawrogiad yn pylu beth.

'Lle'r wyt ti, boi?' gofynnodd yn y llais caredicaf a feddai. 'Yli,' ychwanegodd o beidio â chael ateb ar ei union, 'waeth i ti ddeud ddim, mwy nag i minna ffendio ar ôl i ti orffan.'

'Yn y ciosg gora welis i rioed. Mae 'na bump lôn yn mynd o'ma.'

Roedd chwerthin lond y llais.

'Lle mae o?' ceisiodd yntau eto.

'Yn union gyferbyn â dwy giât hic.'

'Arglwydd annwl!'

'Ac mae 'na gymaint o dail ar y lôn ar 'i ôl o mi fasa'n well i mi sybmarîn na beic. Os ydyn nhw mor blydi tlawd pam na wastian nhw lai o dail?'

'Wyt ti'n iawn 'ta?'

'Fel mobstar. Peth calla wnes i rioed.'

'Dim byd o'r fath!' Ond cymedrolodd Moses ar ei union. 'Yli, tyrd adra. Mi wnawn ni'n siŵr . . .'

'Na wnaf!'

Doedd o ddim yn gweiddi hynny chwaith. Dim ond pendantrwydd di-droi. Moses oedd yn teimlo panig.

'Tria ystyriad mor fyrbwyll wyt ti bendith Dduw . . .'

'O lle cawsoch chi'r syniad bod hyn yn fyrbwyll, Mos?'

'Mae'n rhaid 'i fod o!' Roedd ei lais yn codi er ei waethaf. 'Waeth i ti heb â chymryd arnat. Hyd yn oed os oeddat ti wedi dyheu am ddengid o bryd i'w gilydd . . .'

'Bob awr o bob dydd, Mos. Ddaru mi ddim sylweddoli'n iawn bod hyn wedi'i baratoi ers hydoedd tan yr eiliad y trois i'r beic oddi ar y lôn fawr.'

A gwyddai Moses nad oedd wedi clywed hyder mor benderfynol yn llais Emyr ers pan oedd o'n blentyn llawer fengach, a hapusach.

'Ydach chi yna?' gofynnodd Emyr a'i lais yn swnio'n bryderus yn sydyn.

A dyma Moses yn amau rhywbeth.

'Wyt ti wedi ffonio adra?'

'Oes golwg wirion arna i, Mos?'

'Ffonia adra rŵan hyn!'

'Na wnaf.'

'Paid â bod mor styfnig, hogyn!' Roedd llais Moses yn codi eto. 'Maen nhw'n poeni'u henaid amdanat ti.'

'Ac mae'r polion letrig yn dawnsio hefo'r llygod bach a'r fania post yn deud mê mê.'

Doedd Emyr ddim yn codi'i lais.

'Dw i'n deud y gwir, Emyr.' Arhosodd eiliad. 'Ffonia nhw, 'rhen foi.'

Bu ennyd o dawelwch.

'Ella, pan fydd y lliwia wedi troi'n lliw haul.'

Ceisiodd yntau hefo'r gwir.

'Mae 'na blismyn wedi bod yn chwilio'r lle, tŷ ni a phob man. Mae hyd yn oed Kate a fi'n cael ein hama o dy gipio di.'

'Peidiwch â rwdlan!' dyfarnodd Emyr yn derfynol.

'Calon y gwir, Emyr,' meddai yntau'n dawel.

Bu eiliad arall o dawelwch.

'Sori, Mos.'

'Ffonia nhw.'

'Na wnaf. Dudwch sori wrth Kate hefyd. Ylwch,' meddai'n gyflymach, 'mi ffonia i'r plismyn yn lle'ch bod chi'n cael ych ama.'

'Oes 'na rywun yn fan'no nabodith dy lais di?'

'Duw!' Diamynedd. 'Mi ffendia i ffor. Rhyngddyn nhw a'u petha wedyn.'

'Tyrd adra, 'rhen foi.'

'Cofiwch fi at Kate. Mi ffonia i eto fory.'

Ac roedd wedi mynd. Rhuthrodd Moses i'r drws. Gwaeddodd ar yr is-reolwr.

'Sut mae ffendio'r rhif sydd newydd ffonio ar y peth 'ma?'

Wrth y bwrdd bwyd y noson honno y sylweddolodd o.

'Arglwydd mawr!'

'Be?' gofynnodd Kate.

'Doedd gynno fo neb arall i ffonio atyn nhw. Doedd gynno fo neb arall i droi atyn nhw.'

'Nac oedd.' Roedd hi wrth gwrs wedi sylweddoli eisoes.

'Dim ond ni. Ac os oedd hynna'n wir heddiw roedd o'n wir ddoe.'

'A phob ddoe arall ers y dechra.'

Roedd Kate, wrth gwrs, wedi sylweddoli.

*   *   *

Tua'r wyth 'ma y stwyriodd Emyr drannoeth hefyd. Roedd o'n effro ers meitin, ond roedd popeth mor iawn â'r disgwyl. Roedd y poenau fymryn yn llai ac roedd pawb arall yn hwylio i fynd i'r ysgol. Roedd y tawelwch yn hyfryd, mor braf. Nid sŵn oedd siffrwd y coed. Doedd dim rhaid iddo symud am ddau ddiwrnod gan fod ganddo stôr newydd o fwyd.

Stwyrio ddaru o. Agorodd sip y dent a rhoi ei ben allan.

'Hei!'

Uffar gors!

'Ddychrynis i chdi?' gofynnodd y dyn.

Roedd ei lais o'n debycach i foi-soprano nag i ffarmwr. Ond dyna oedd o o ran siâp. Safai o flaen y dent, rhyw deirllath i ffwrdd, a'i draed fymryn ar led mewn sgidiau uchel brown newydd sbon, a'i lygaid yn methu dal rhag eu hedmygu a gwadd Emyr i gydlawenhau. Roedd ganddo gi defaid bodlon wrth ei draed.

'Ddychrynis i chdi?' gwichiodd wedyn.

'Do braidd. Ers faint ydach chi yna?'

'Rŵan hyn, dest.'

Tua'r un oed â Mos oedd o, fymryn yn fengach ella. Crys sgwariau ar ben fest go fudr a throwsus cordiroi brown yn llac a chaglyd amdano. Roedd dipyn o gochni yn hynny o wallt oedd ar ôl. A llygaid yn chwilio drwyddo dan amrannau cochion blêr yn yr wyneb mawr crwn.

'Dy hun wyt ti?'

'Ia.'

'Does gen ti ddim dynas hefo chdi yn y dent 'na?'

'Nacoes.'

'Dim dynas fawr ddu yn fronna i gyd? Ha! ha! ha!'

Arglwydd mawr. J am josgin. H am hic. T am rywun yn plygu chwerthin am ben rhyw jôc.

51

'Be 'di d'enw di?' gofynnodd y ffarmwr a gwich ei lais yn llawn gwerthfawrogiad o'i hiwmor o hyd.

'Adrian.'

'O lle doi di?'

'Y?'

'Lle ti'n byw?'

'Dre.'

'O. Dre, ia?'

'Ia.'

'Prun?'

'Y?'

'Wel.' Roedd o'n syllu mor ddyfal i'w lygaid. 'Mae pawb hyd y fan yma'n gwybod ein bod ni union hannar ffor rhwng dwy dre. Prun ydi dy Dre di?'

'Honna.'

Taflodd Emyr ei ben yn ôl i gyfeiriad y lôn fach. Thynnodd y ffarmwr mo'i lygaid oddi arno.

'Honna?'

'Ia.'

Roedd garej echdoe'n gwerthu mapiau. Roedd garej ddoe yn gwerthu mapiau.

'Be 'di'i henw hi felly?'

'Pwy?'

'Y Dre, siŵr Dduw.'

'Rio de Janeiro.' Gwên felys a throi'r stori. 'Ylwch, mi dala i am fy lle. Dw i ddim isio trespasu.'

Eiliadau hirion tawel o ystyried dwys.

'Does dim isio i ti dalu, 'sti.'

Uffar gors!

'Am faint wyt ti am aros?'

'Diwrnod ne' ddau. Adawa i ddim llanast ar f'ôl.'

'Paid â thanio matsys a phaid â malu'r cloddia ac mi

fydd hi'n iawn. Tyrd i fyny i'r tŷ os byddi di isio dŵr ne' damad i'w fyta. Paid ag yfad dŵr y nant. Mae'r hen fustych 'cw'n piso iddi.'

Roedd wedi llnau'i ddannedd hefo pâst a phoer cyn heddiw.

'Diolch. Mae gen i ddigon o ddiod hefyd.'

'Pam na ddoi di i fyny am damad o frecwast?'

'Newydd gael peth. Mi brynis i lot o fwyd ddoe.'

'O. Dyna chdi. Lle rhyfadd i gampio hefyd, 'tydi?'

'Mae'n iawn. Mae'n dawal. Mae'n braf yma.'

'Ydi. Ydi, mae'n debyg. Mae'r hen blant acw i gyd newydd 'i hel hi am yr ysgol.'

'O.'

'Mae un tua'r un oed â chdi.'

'O.'

'Mae gynno fo ysgol heddiw. Tua'r Dre 'na.' Pen yn nodio dros y dent.

'Glandiwlar ffifar.'

'Y?'

'Digon o awyr iach a pheidio â'i hel o hyd bobol, medda Doctor.'

'Duw annwl. Wnâi hi ddim i bawb gael peth felly ddechra ha fel hyn. Pa ddoctor ddudist ti oedd o?'

'O, ym . . .'

'Y peth Dre 'nw, decini.'

'Ia.'

'Dyna chdi 'ta. Gobeithio y byddi di'n well.'

'Diolch.'

'A thyrd i fyny os byddi di isio rwbath.'

'Diolch. Mi wna i.'

Nodiodd y ffarmwr. Daliodd i edrych arno am eiliad cyn troi. Gwyliodd Emyr o'n mynd, a'r ci ufudd wrth ei sawdl. Gwyliodd ddigon arno'n mynd i weld mai'n syth i gyfeiriad y tŷ ffarm yn y pellter yr oedd o'n anelu. Anghofiodd ddannedd, anghofiodd ddŵr molchi amheus. Heliodd ei bac. Lapiodd y dent. Cariodd ei feic a'i lwyth i'r lôn fach a'i heglu hi ymaith.

4

Doedd ganddo fo neb arall i ffonio iddyn nhw. Doedd ganddo fo neb arall i droi atyn nhw.

Hynny oedd wedi hitio Moses ym mhlygiad ei forddwyd. O'r dechrau roedd Kate ac yntau wedi trin Emyr fel rhyw gymysgedd o fab a brawd bach a mêt. Y mab oedd yn melysu'r siom. Rŵan roedd Kate yn cydnabod yr un teimladau. Roedd y peth yn rhy naturiol i sôn amdano fo cynt.

'Byta,' meddai Kate.

'Dim ond chdi a fo sy'n 'y ngalw i'n Mos,' meddai yntau'n syn.

Doedd ganddo fo neb arall i droi atyn nhw.

'A dim ond pan nad oes 'na neb arall ar wahân iddo fo yma'r wyt ti'n gwneud hynny.'

'Be?'

'Wyt ti ddim wedi sylwi? Titha hefyd yn 'y ngalw i'n Moses o flaen pawb ond Emyr. Dim ond fo sy'n deud Mos drwy'r adag.'

'Ydi hynny'n bwysig?'

'Ydi, rŵan.'

Doedd ganddo fo neb arall i droi atyn nhw. Ac os oedd hynna'n wir heddiw roedd o'n wir ddoe. A phob ddoe arall ers y dechrau.

Roedd Kate, wrth gwrs, wedi sylweddoli.

Roeddan nhw'n corddi yn ei feddwl drosodd a throsodd, ac yn gwaethygu fel yr âi trannoeth a thrennydd heibio heb i Emyr gysylltu. Roedd o'n neidio ar bob caniad ffôn.

Mae'r ddau wrthi, Mos.

Hynny oedd yn hitio go iawn. A rŵan roedd o'n gwneud hynny. Yr ymbil yn llygaid Emyr wrth iddo ddweud. Ei ddiymadferthedd o'i hun.

'O, uffar!' meddai gan roi ei gyllell a'i fforc i lawr eto fyth.

'Be rŵan?' gofynnodd Kate.

''Rha dwytha. Naci. Uffar dân! 'Rha cynt.'

'Be?'

'Roedd o hyd y lle 'ma ddydd ar ôl dydd yn gwisgo dim ond trwsus bach a sandals. Dyma'r tywydd yn brafio a dyma fynta'n dechra gwisgo crys. A thynna fo mono fo.'

'Paid â dyfeisio dy dystiolaeth.'

'Finna'n 'i bryfocio fo ac ynta'n rhyw wenu a throi'r stori.' Symudodd fymryn ar ei blât, fel pe bai i'w roi o'r neilltu. 'Maen nhw wrthi ers hynny.'

'Byta, Mos bach.' Rhywbeth arall oedd ar feddwl Kate. 'Wyt ti'n siŵr 'i fod o wedi deud bod y ddau'n 'i guro fo?'

'Wrth gl'wad hynny'r aeth 'y nhraed i mor sownd yn y gro. Dyna pam sibrydis i wrtho fo am edrach ar 'i ôl 'i hun yn hytrach na chnocio'r ffenast i'w stopio fo. Prun bynnag, sut medra un wneud heb i'r llall fod yn gw'bod?'

'Os medri di fwlio un mi fedri di fwlio dau.'

Ysgwyd ei ben ddaru Moses.

'Meddwl fod Heddwyn yn 'i churo hitha hefyd wyt ti?' gofynnodd.

'Fasai'n ddim rhaid iddo fo'i churo hi.'

'Ne' hi guro Heddwyn.'

'Be?'

'Fasai hi ddim mo'r tro cynta i beth felly ddigwydd.'

Gwthiodd Kate y plât yn ôl o flaen Moses.

'Prun bynnag,' meddai yntau, 'rydan ni wedi'u cl'wad nhw'n do? Y ddau'n gweiddi cymaint â'i gilydd arno fo.'

'Do. Byta.'

Pyliau felly oeddan nhw. Bwyd yn 'cau'n glir â mynd i lawr pan oeddan nhw'n dod. Bwytaodd Moses.

'Tasai'r ffarmwr 'na wedi mynnu rhoi brecwast iddo fo,' meddai.

'Os fo oedd o.'

'Fo oedd o.'

'Ne' tasai'r dyn drws nesa wedi cnocio'r ffenast arno fo,' meddai Kate wedyn. 'Paid â phoeni,' ychwanegodd ar ei hunion, 'nid edliw ydw i.'

'Pam wyt ti'n gwenu 'ta?'

'Hiraeth 'ta pryder sy arnat ti?'

'Mi welodd drwy'r ffarmwr, 'ndo? Na, dyhead i ymddiheuro a difaru yn 'i wynab o yn fwy na dim arall. Am fod mor blydi dall a blydi byddar.'

'A blydi rhegi.'

'Y?'

'Peth go newydd yn dy hanas di.'

'Dydw i ddim yn cofio i mi gael cymaint o achos i fy rhegi fy hun o'r blaen. Be tasa fo'n dod i fyw aton ni?' meddai'n sydyn.

Ond roedd yn amlwg nad cwestiwn y munud hwnnw oedd o.

'Wel ia, dyna beth ymarferol iawn,' atebodd Kate. 'Dengid am 'i fod o'n cael 'i guro a dod yn ôl i fyw y drws nesa. Siŵr o ddigwydd.'

'Ia, ond . . .'

'Be?'

'Tasa fo'n ymarferol, fyddat ti'n rhoi cartra iddo fo?'

'A chditha mor hoff o ddeud mor dda'r wyt ti'n 'y nabod i.'

'Tasa posib siarad rhywfaint o synnwyr hefo nhw . . .'

'. . . fasa fo ddim wedi digwydd yn y lle cynta.'

Ond roedd pob cyfathrach rhyngddyn nhw a'r bobl drws nesa wedi dod i ben prun bynnag.

*   *   *

Dim ond am ennyd y daeth llyfr cyfrifon y Côr o'r cwpwrdd nad oedd yn cael ei luchio'n ôl. Ond wedyn . . .

Gafaelodd Heddwyn yn y llyfr drachefn a mynd ag o at y bwrdd. Drwy groen ei din roedd o'n cydnabod nad Moses a Kate oedd yn gyfrifol am ledaenu'r sibrydion, er mai Moses oedd yn gyfrifol am eu tarddiad. Buan iawn y cafodd ar ddallt fod y plismyn wedi gofyn o amgylch yr ysgol, ar y slei yn eu tyb nhw'u hunain, a oedd arwyddion o gael ei guro ar Emyr. Roedd y stori'n dew hyd y lle cyn nos wrth gwrs. Cawsai o gynnig gwyliau byr-rybudd am fwy nag un rheswm ond roedd y tŷ'n fwy annioddefol fyth.

Roedd ganddo ddau lyfr cyfrifon taclus, un i gofnodi cyfraniadau wythnosol y cantorion a'r llall i'r cyfrifon cyffredinol. O leiaf roedd yr arian oedd heb fynd i'r banc yn y cwpwrdd; doedd y rheini hefyd ddim wedi mynd i ganlyn y beic.

'Y basdad bach. Lleidar.'

Wrtho'i hun y sibrydai'r pethau aml hyn.

Roedd Dilwen yn ffonio drwy'r dydd. Ffonio'r

heddlu, i daeru; ffonio teulu, i daeru. Mi fyddai'n well iddi gau'i cheg gan nad oedd angen iddi'i hagor prun bynnag. Pan ddeuai Emyr yn ei ôl yn y dyddiau nesaf byddai unrhyw farc ar ei gorff wedi clirio prun bynnag a byddai'r helynt drosodd a Moses ragrithiol a'i wraig ragrithiol wedi cael ail a hanner. A tasa fo'n treulio mwy o'i amser yn gwneud rhywbeth i gryfhau'i gorff a llai o amser yn cerdded afonydd a chreigiau yn ffidlan a gwylio blydi adar a malu awyr yn y drws nesa mi fyddai ei gorff o'n ablach i edrych ar ei ôl ei hun yn hytrach na briwio a chleisio dim ond wrth sbio arno fo. Nid cosi oedd diben cweir 'neno'r Duw. A chafodd o rioed gweir nad oedd yn ei haeddu. Busneswrs diawl. Magad nhw'u plant 'u hunain.

Gorffennodd lenwi'r llyfrau cyfrifon yn y beiro aur a gawsai gan y Côr am ddeng mlynedd o waith fel trysorydd, yr ifanca yn hanes y Côr i ddal y swydd pan gafodd o hi. Cyfrodd yr arian a llenwi'r llyfr banc. Rhoes y cwbl yn ôl yn y cwpwrdd o dan ei lyfrgell undarn, ac am yr eildro yn hanes hwnnw, ei gloi.

Daeth Dilwen i'r gegin, newydd roi'r ffôn i lawr ar rywun. Trodd y teledu heb ddweud dim ac eistedd i rythu arni. Aeth yntau i'w gadair i wneud yr un peth. Digwyddodd edrych ar Dilwen. Cynhyrfodd fymryn. Roedd golwg hagr arni, ddigon hagr. Rhyw olwg wyllt syn yn ei llygaid, ei gwallt heb ei wneud, dim lliw na phowdr ar ei hwyneb. Trodd Heddwyn ei lygaid draw a rhythodd ar y teledu. Ymhen eiliad roedd Dilwen yn codi ac yn ei ddiffodd ac yn ei gwneud hi am y ffôn.

'Paid â ffonio eto,' meddai o.

Trodd hithau yn y drws.

''Di o'm ots gen ti, nac'di?' hisiodd.

'Paid â malu blydi awyr!'

'Ddiawl o ots!' gwaeddodd Dilwen. 'Chdi heliodd o o'ma!'

Roedd Heddwyn yn codi a'i ddwrn heb iddo wybod hynny'n cau'n dynn wrth ei ochr. Ond roedd Dilwen arno, yn taro ochrau dyrnau dall ar ei frest ac yn gweiddi'i rhegfeydd arno.

'Dw i 'i isio fo'n ôl!' gwaeddodd.

'Dw inna hefyd!' gwaeddodd Heddwyn yn ei hwyneb.

Gwasgodd ei freichiau amdani i atal y dyrnu, a'i ddyrnau o'i hun yn dynn y tu ôl iddi. Roedd hi'n wylo heb roi ei phen arno, yn dal i geisio straffaglio'n rhydd. Roedd cloch y drws ffrynt yn canu.

*   *   *

'Faint o weithia mae isio deud yr un peth?' gofynnodd Kate. 'Does dim rhaid cael rhyw i garu. Tyrd yma.'

Roedd Moses yn methu'n lân. Tynnodd Kate o ati a'i gofleidio'n dynn.

'Sori,' meddai Moses.

'Ia, chwertha'r diawl bach,' meddai wedyn.

'Chdi a dy sori.' Siarad yn ddistaw drwyn yn nhrwyn yn y gwely. 'Fel tasat ti 'di trawo yn erbyn rhywun ar 'pafin.'

'Fedra i ddim peidio â meddwl . . .'

Ochneidiodd ei fethiant i orffen.

'Chdi sy'n taeru y bydd o'n iawn,' meddai Kate.

'Nid hynny.'

'Mi wn i. 'I drin o fel tasa pia ni o a methu pan oedd arno fo'n hangan ni. Er mi fedrwn ni roi gormod o'r bai arnon ni'n hunain.'

'Be am y gweiddi? Be am y sŵn curo?'

'Fel dudist ti o'r blaen, mi allasan ni fod wedi gwneud petha'n waeth.'

Roedd ei chynhesrwydd yn dynn ynddo a'i bysedd tyner am ei groen yn braf a dymunol, a dim mwy na hynny heno. Na, ailfeddyliodd, roeddan nhw mor ogoneddus ag erioed. Hi oedd yn iawn, fel pob tro. Ei feddyliau o 'i hun oedd ar ormod o chwâl.

'Mae arna i ffansi mynd i chwilio amdano fo,' meddai toc. 'Mi ga i ddwrnod ne' ddau.'

'A lle dechreui di?'

'Hefo'r ffarmwr hwnnw ella.'

'Dwyt ti rioed yn meddwl 'i fod o'n dal yng nghyffinia hwnnw?'

'Mae o'n fan cychwyn, 'tydi?'

Roedd o'n gwybod nad oedd hynny'n werth ei ateb. Dyna oedd y drwg. Roedd pob cwestiwn a phob cynnig ar ateb yn rhy hwyr.

5

'Mi fedra i gadw 'ngolwg ar 'y meic o fa'ma,' meddai Emyr.

'Mae bwrdd ffenast yn fwy diddorol bob amsar,' cytunodd y Dyn. 'Wyt ti'n siŵr bod hynna'n ddigon gen ti?'

'Ydw diolch.'

Roedd cwrteisi tawel Emyr yn llawn hyder a llawn direidi, a'r Dyn yn barod iawn i weld hynny fel cyfeillgarwch. Mewn caffi cyrion tre oeddan nhw, ac Emyr newydd gyrraedd ganol y pnawn. Y munud y daeth oddi ar ei feic i'r pafin o flaen drws y caffi roedd y Dyn wrth ei ochr ac yn ei gyfarch yn naturiol braf fel hen ffrind.

'Mae gen i feic yn union fel hwnna,' meddai, 'ond bod f'un i'n las a gwyn.'

'O?'

'Rhai da ydyn nhw 'te?'

'Ia'n Duw. Iawn.'

Tua'r un oed â'i dad oedd o. Fengach, ella. Roedd ganddo wallt du hir a sgwyddau llydan mewn crys melyn agored uwchben ei jîns gwyn. Roedd ei lygaid duon yn gyfeillgar a threiddgar a'i groen yn dywyll gan haul. Gwasgodd ei fawd ar y teiar ôl.

'Mi fydda i'n reidio rhyw hannar can milltir bob wythnos. Mwy weithia.'

'O.'

Trodd ei olygon ac edrych i fyw llygaid Emyr.

'Am fynd i'r caffi oeddat ti?'

'Ia ella.'

'Ga i brynu panad iti?'

Cododd Emyr sgwyddau di-hid.

'Os liciwch chi.'

Roedd Emyr wedi mynd yn syth i fwrdd ffenest wrth y drws. Daeth y Dyn â phaned bob un iddyn nhw a dwy sgonsan ar blât bychan. Roedd Emyr yn y gadair agosaf at y drws.

'Os byddi di'n dal yn llwglyd mi gei rwbath arall,' meddai'r Dyn.

'Iawn.'

Rhyw ddwyawr oedd ers i Emyr gael boliad blasus o ginio poeth. Roedd o'n benderfynol o gael un pryd iawn y dydd.

'Dwyt ti ddim wedi deud dy enw wrtha i,' meddai'r Dyn.

'Ofynnoch chi ddim.'

'Naddo.' Gwên werthfawrogol. 'Be 'di o?'

'Simon.'

'Harri ydw i.'

'O ia.'

Rhyw hanner diddordeb. Doedd y baned fawr o gop. Doedd dim gwell addewid ar y sgonsan chwaith o ran ei golwg.

'Diolch i ti am adael i mi brynu panad i ti,' meddai'r Dyn, beth yn swil, beth yn gyfeillgar, yn chwilio am rywbeth arall i'w ddweud.

'Iawn, Duw.'

'Roedd golwg mor llwglyd arnat ti.'

'Oedd 'na?'

'Oedd.'

Roedd y Dyn yn chwarae â'i de hefo'i lwy. Doedd o

ddim wedi dechrau yfed. Roedd yn astudio bysedd Emyr am y cwpan, ei fysedd yn gafael yn y sgonsan, ei wefusau'n cau amdani.

'Pam nad wyt ti yn yr ysgol?' gofynnodd yn sydyn, a'r llygaid treiddgar yn chwilio.

'Gwylia.'

'Nac oes,' gwenodd y Dyn lond ei wyneb.

'Oes, i mi.'

Ella bod chwarddiad y Dyn fymryn yn ansicr.

'Dw i ddim isio bysnesu,' meddai. Arhosodd ennyd, a chymryd llymaid. 'Rwyt ti'n hogyn call, i'w weld,' meddai.

'Ydw rŵan,' atebodd Emyr ar ei union.

'Rŵan?'

'Daeth Emyr ddim i ymhelaethu. Doedd y sgonsan ddim cweit mor ddrwg â'i golwg. Roedd y Dyn yn ei astudio o ac yn astudio'r beic drwy'r ffenest.

'Mae gen ti ddigon o bacia,' meddai.

'Dydyn nhw ddim yn drwm. Fyddwch chi'n prynu panad i bawb fyddwch chi'n 'i weld ar stryd?'

'Bobol annwyl, na fydda,' chwarddodd y Dyn yn ysgafn.

'Dim ond i rai hefo beic?'

'Ia, ella.'

Chwarddiad arall. Ond roedd y llygaid yn ansicr. Trodd y Dyn ei olygon oddi ar y beic a'u cadw ar ei baned. Roedd Emyr yn credu ei fod yn dechrau gwrido fymryn.

'Oes gen ti – oes gen ti bres, Simon?' gofynnodd yn gyflym, ei lais wedi tawelu.

'Chydig,' atebodd Emyr yn ddi-hid.

Rhoes y Dyn gip sydyn drwy'r ffenest cyn sodro'i lygaid ar rai Emyr.

'Mi – mi ro i hannar canpunt iti,' meddai, yr un mor dawel.

'Y?'

Cip arall drwy'r ffenest, a dychwelyd drachefn at lygaid Emyr. Roedd y gwrid yn un iawn erbyn hyn.

'Os doi di adra hefo fi.'

'I be?' gofynnodd Emyr ar ei union.

'Wel . . .' dechreuodd, a lledu'i ddwylo.

'Rhaid i mi gael 'i hannar o rŵan,' meddai Emyr ar ei draws.

'Be?' gofynnodd y Dyn, oddi ar ei echel.

'Tro dwytha digwyddodd hyn mi wrthododd o dalu. Mi ges 'y mygwth hefo cyllall.'

Roedd dychryn, gwir ddychryn, yn dod i lygaid y Dyn.

'Wnawn i byth beth felly!' meddai'n daer ddiffuant.

'Dyna ddudodd ynta hefyd,' meddai Emyr, a chodi'i sgwyddau.

Roedd y llygaid ar y sgwyddau.

'O'r gora,' cytunodd.

Rhoes gip o'i amgylch cyn tynnu waled o'i boced a'i dal rhyngddo a'r bwrdd. Daeth dau bapur decpunt ac un pump ohoni. Roedd plygiadau cybydd yng nghornel pob un. Ceisiodd Emyr guddio gwên. Caeodd y Dyn ei waled a'i rhoi'n ôl yn ei boced. Rhoes gip arall o'i amgylch.

'Dyna chdi,' sibrydodd, 'pump ar hugian.'

Rhoddodd yr arian yn llaw Emyr. Roedd yn cyffwrdd ei law wrth wneud.

'Iesu! diolch.'

'Paid â'u dangos nhw!'

'Sori,' meddai Emyr, a'i lygaid yn dadlennu popeth ond hynny.

Stwffiodd yr arian i'w boced. Syllai'r Dyn arno'n gwneud hynny.

'A phaid â deud dy fod di isio rwbath arall i'w fyta a dengid o'ma tra bydda i'n 'i nôl o.'

Rhannodd Emyr y jôc.

'Wna i mo hynny, siŵr,' chwarddodd yn hapus. 'Dw i 'di cael mwy na dw i 'i isio.'

Dim ond sŵn cadair yn crafu'r llawr ac roedd Emyr yn llamu drwy'r drws, yn clywed llais ofn gweiddi'n galw hei! syfrdan, yn neidio'r pafin ac yn glanio'n daclus broffesiynol ar ei feic ac yn ei choedio hi am ei fywyd. Clywodd yr un llais yn gweiddi o'r tu ôl iddo ond ni throdd ei ben. Roedd gormod o drafnidiaeth ac roedd gofyn iddo ganolbwyntio'i holl sylw ar hwnnw.

'Tyrd yma!'

Clywodd hynny. A doedd o ddim ymhell. Roedd hi'n amlwg fod y Dyn yn rhedwr, beth bynnag am fod yn feiciwr.

Ond uffar gors!

'*I will arise and go now*! Ha ha ha! Am hawdd! Iêê! Dyddia eto o gyfoeth! A hannar panad a hannar sgonsan!'

Roedd tamaid gweddol glir o ffordd o'i flaen rŵan a gallodd gyflymu. Ond ni throdd ei ben. Roedd y beic fel wennol a bywyd yn brafio bob munud, a dim ond wrth ei gyffwrdd roedd ei gorff yn brifo erbyn hyn. Hyd yma roedd pum punt ar hugain yn ddigon ar gyfer mwy o ddyddiau na'r syms gwreiddiol, a hynny heb lwgu na bodloni ar nialwch yn lle bwyd.

'Dydi'r *pavements grey* ddim hannar mor ddrwg â'r bygythiad. Erbyn meddwl, doedd 'na ddim bygythiad ynddyn nhw, dim ond 'mod i wedi meddwl hynny, am 'u bod nhw'n ddiarth.'

Gwell fyth. Ychydig lathenni draw roedd y ffordd yn dechrau mynd at i lawr.

'Dw i wedi ennill! Mi gawsoch ail, y diawlad! Mi fetia i ych bod chi wedi crochlefan y baswn i'n ôl yn crio cyn pen deuddydd. Wel dyna i chi ail! Iêê!'

Roedd pobl yn troi'u pennau i edrych arno. Tawelodd.

'Os medrai hwnna fforddio hannar canpunt, nid dwyn ydi bachu'u hannar nhw. Well i mi beidio â gwneud hynna'n hobi hefyd, rhag ofn imi fethu 'nhric. Iawn weithia, ella.'

Siawns nad oedd yn ddigon pell bellach. Roedd croesffordd brysur o'i flaen, a goleuadau coch yn disgleirio arno.

'Mi droa i yn fa'ma, i fynd o olwg ac o fywyd hwnna. Go brin yr eith o i wario mor handi y tro nesa.'

Doedd y goleuadau ddim am newid.

'Peidiwch 'ta.'

Anwybyddodd nhw, a throi. Daeth y cyrn gorfodol i ddwrdio. Anwybyddodd nhwtha hefyd. Roedd ganddyn nhw ddigon o le prun bynnag, i wneud eu drama. Trodd ei ben i weld beth oedd y tu ôl iddo. Fawr ddim o bwys. Trodd ei ben yn ôl. Roedd lwmp sydyn o ddüwch crwn yn union o'i flaen.

'O! Rarglwydd!'

Gwichiodd y ddau frêc dros y stryd. Roedd y gwrthdrawiad mor sydyn ac anochel a di-droi'n ôl â phob gwrthdrawiad. Daeth sgrech.

Wedi gwrthdrawo yn erbyn bag neges mawr du yr oedd o. Diolch i Dduw Dad drugarog roedd y lwmp du arall y tu ôl i'r bag. Nid bod y lwmp du hwnnw'n gwerthfawrogi hynny.

'O Dduw annwl! Be sy'n digwydd imi?' gwaeddodd.

'Sori! Sori!'

Doedd y tuniau a'r petheuach o'r bag ddim wedi gorffen rowlio.

'Arna i roedd y bai. D-d-d-o'n i . . .'

Peth anwadal ydi hyder. Yn enwedig pan nad ydi'r cleisiau wedi clirio.

'O Dduw annwl Dad inna! Rwyt ti wedi fy lladd i, y penci bach.'

Llais dynes. Llais lled fain, y rhan fwyaf ohono'n anadl argyfwng. Roedd sgidiau duon a sanau byrion llwyd tywyll. Roedd tameidiau o ddwy goes noeth yn batsys piws yma ac acw, mymryn o ffrog ddu a chôt ddu am gorff bychan a thop jersi lwyd tywyll gwddw crwn i'w weld rhwng côt ac wyneb.

'Naddo. Dim cweit.' Roedd ei ddogn o anadl yn ei lais yntau hefyd. 'Sori. Mi goda i y petha 'ma i chi.'

Roedd wyneb crwn, coch, a sbectol gwydrau tewion ar drwyn smwt. Roedd gwallt brith fflat di-het uwchben.

''Nghalon fach i! Tydw i'n 'i chl'wad hi'n tabyrddu! Rwyt ti wedi 'ngorffan i!'

Bron nad oedd sŵn crio yn y llais.

''Uw, na, ylwch, 'rhoswch yn fan'na. Dim ond y bag hitis i. Mi'u coda i nhw.'

Roedd yn anodd braidd penderfynu ar beth roedd y llygaid yn edrych gan fod gwydrau'r sbectol mor drwchus. Rhoes Emyr gip braidd yn argyfyngus tua'r gyffordd cyn parcio'i feic ar y pafin. Plygodd i godi'r pethau oddi ar y ffordd. Doedd dim wedi malu, dim ond ambell dolc ar ambell dun.

'Sori.'

'Plant heddiw.'

Roedd un bag wedi disgyn yn gyfa ar y ffordd a dim wedi'i golli ohono. Cariodd Emyr y ddau fag i'r pafin.

'Nefi! mae'r bagia 'ma'n drwm gynnoch chi.'

'Hidia di befo be dw i'n 'i gario yn 'y magia.' Roedd y llais yn llai o anadl erbyn hyn, yn nes at fod yn naturiol. 'Drycha di lle'r wyt ti'n mynd hefo'r beic difeddwl 'na. Mae hynny'n hen ddigon o orchwyl i ti, goelia i.'

Roedd y llais yn llawn cerydd, ond doedd o ddim yn llawn bygythiad. Rhoes Emyr gip arall at y groesffordd, rhag ofn.

Yna cyfarfu llygaid.

Roedd llygaid y ddynes i'w gweld yn glir o edrych drwy ganol gwydrau'r sbectol. Llygaid llwydion, llawn cyfrinach, wedi tawelu ar eu hunion, yn syllu i ddyfnder ei lygaid o. Am ennyd gyfrin, doedd dim ond nhw. Doedd neb na dim arall, yn bobl na thrafnidiaeth na sŵn, yn berthnasol. Dim ond nhw ill dau.

'Beic swel.' Roedd pob cerydd wedi diflannu o'r llais. 'Chdi pia fo?'

'Ia. Sori.'

Llygaid yn dal yn ei gilydd.

'O wel. Mae golwg 'i gredu o yn dy llgada dyfnion di.'

Roedd hi'n hen, hen ddynes. A llygaid y naill yn sownd yn llygaid y llall. O hyd yn sownd. Doedd dim angen petruso cyn cynnig.

'Tasan ni'n rhoi'r bagia ar y beic mi sbarith i chi'u cario nhw. Lle 'dach chi'n mynd?'

'At y bỳs mawr. Stryd nesa.' Doedd dim angen petruso cyn ateb.

'Dowch 'ta. Mi ddo i â nhw i chi.'

Mor naturiol â dweud helô.

'Ddoi di wir?'

Dim mymryn o syndod yn y cwestiwn. Dim ond yr un llais lled fain.

'Dof. Sori.'

Heb ofyn caniatâd na chydsyniad, gosododd y ddau fag bob ochr i gyrn y beic.

'Hm. Mae 'na rwbath reit 'styriol yno' ti hefyd.' Roedd y llygaid yn dal ar lygaid. 'Dyna'r o'n i'n 'i ddeud. I be mae hogyn hefo golwg mor ffeind yn 'i lygaid ifanc o'n dŵad rownd y gongol 'na mor wyllt? medda fi.'

'Mi gwelsoch fi, felly?' gofynnodd Emyr yn syn.

'Do siŵr . . . Hei! Paid â thrio dŵad ohoni fel'na, y penci bach.'

'Dydw i ddim. Arna i'r oedd y bai.'

Dechreuodd y ddau gerdded. Yn ara. Doedd brys ddim yn bosib i'r hen, hen ddynes. Rhoes Emyr gip arall o'i ôl.

'I be gyrrat ti mor wirion hyd y lle 'ma yng nghanol yr holl geir gwylltion?' Roedd y cerydd yn ôl ar ei union.

'Rhyw hen ddyn oedd yn trio dod ar f'ôl i.'

Roedd yn horwth o waith darganfod faint yn union o hynny oedd yn gelwydd. A rŵan roedd hynny'n berthnasol.

'Be?' Roedd y llais a'r llygaid yn ffrom, yn tanio. 'Lle mae o? Tyrd. Tyrd hefo fi. Mi awn ni ar 'i ôl o, i mi gael rhoi fy melltith arno fo!'

Sôn am ystyr roddodd hi i'r gair.

'Naci!' rhuthrodd yntau, yn rhy gyflym o beth mwdredd. 'Mae'n well gen i beidio.'

'O.'

Gadawodd hi ar hynny am eiliad.

'Dyna chdi 'ta. Chdi ŵyr dy betha.'

Doedd dim hanes o neb yn eu dilyn. Dechreuodd Emyr ymlacio. Bob tro'r oedd o'n powlio'i feic roedd o'n difaru na fyddai'n powlio mwy arno. Roedd tician tawel yr olwynion yn sŵn mor hyfryd, mor gain. Hyd yn oed rŵan roedd o'n gallu canolbwyntio arno.

'Be 'di d'enw di?' gofynnodd y llais, rhyw hanner ffordd rhwng bod yn fusneslyd a cheryddgar, ella am nad oedd o wedi'i gynnig o ohono'i hun.

'Simon,' atebodd ar ei union. 'Naci, Emyr,' ychwanegodd ar ei union.

'Mae angan dau weithia, oes 'na?'

Chafodd hi ddim ateb i hynny.

'Dwyt ti ddim o'r fan yma.'

'Nac'dw,' atebodd.

'A does 'na neb yn dŵad i le fel hyn i gampio. Yn nac oes, 'ngwas i?'

Mor ddifynegiant oedd ei llais yn dweud y cwbwl. Dim ond y sŵn uchel, bron yn undonog. Ond ymhell o fod yn ddiflas.

'Yli, rhed yn d'ôl i chwilio am dy dafod.'

Ond roedd rhywbeth wedi rhoi. Dim ond Kate oedd yn ei alw'n 'ngwas i.

'Dy guro di oeddan nhw?'

Yr un dôn ffeithiol yn y llais. Ond doedd dim gwrando ar dician tawel dwy olwyn rŵan.

''Ta wyt ti am drio deud wrtha i mai rwbath arall sy'n gyfrifol am y marcia cochion a duon 'na ar dy gefn hir di?'

Dal i edrych at i lawr roedd hi wrth gerdded ei chamau byrion araf ar y pafin. Ond roedd y pethau oedd wedi diflannu am byth yn dychwelyd. Mor ddidrugaredd ddidirybudd.

''Ta wyt ti am ddeud wrtha i nad dyna welis i wrth i ti blygu i roi 'mhetha bach i'n ôl yn y bag?'

Yn eu holau'n ddirybudd a didrugaredd.

'Mae gen ti gartra, debyg?'

Dim ond bag du aneglur a darn o olwyn flaen aneglur.

'A hwnnw'n llawn angylion pen ffordd.'

Ac yntau ar fin mendio. Mendio mor dda.

'Paid â phoeni. Neith deigryn bach crwn ddim drwg. Mae'n gas gen inna bobol hefyd, lawar ohonyn nhw. Hen fusneswrs gythral. Yn busnesa hefo'r beth fach. Yn sibrwd 'u clwydda duon wrth i mi ddynesu ac yn pwffian chwerthin ar ôl i mi fynd heibio fel taswn i ddim yn 'u cl'wad nhw. Ac am na fedran nhw ddallt does gynnyn nhw ddim ond 'u cl'wydda i warchod 'u hofn. Hen dacla annymunol.'

Pregeth braidd yn hir i gamau ac anadl mor fyr. Arhosodd ennyd i gael ei gwynt ati. Arhosodd Emyr hefo hi. Dim ond sefyll, ei ben i lawr, a'r dagrau diatal yn ei grynu.

'Dyma i ti hancas. Hancas fach wen.'

Roedd llaw fechan gynnes dderbyniol a bysedd byrion tewion yn cyffwrdd yn dynn yn ei law wrth drosglwyddo'r hancas.

'Mi fydda i'n rhoid un lân yn 'y mhocad peth dwytha cyn dŵad i Dre bob amsar. Hidia befo'r hen bobol 'ma,' meddai ar yr un gwynt bron, 'waeth i ti amdanyn nhw. Mi fyddan wedi anghofio amdanat ti a dy feic a dy ddagra tawal cyn pen decllath. Mae 'na rwbath yn greulon yn 'u gwneuthuriad nhw.'

Doedd hi ddim yn poeri'r geiriau hynny chwaith. Dim ond eu dweud. Dechreuodd gerdded ei chamau mân. Daeth tician tawel y beic i'w dilyn.

'A phaid â phoeni fod straen herio'r byd yn dechra deud arnat ti. Dydi o'n ddim i gywilyddio o'i herwydd.'

Roedd y sbectol drwchus yn edrych yn ei blaen ac arno fo bob yn ail. Doedd o ddim ond wedi prin gyffwrdd ei fochau hefo'r hancas. Gwyddai fod pobl yn dal i syllu. Hen, hen ddynes yn ei du ochr yn ochr â hogyn hefo'i feic llwythog a'i grys-T coch glân a rhychiog o ddiffyg smwddio a'i jîns llwyd. Ochr yn ochr, un yn siarad, y llall a'i ben at i lawr.

'Yli, mi wn i be wnawn ni. Mi gei di ddŵad adra hefo fi ac mi gei di aros acw am ddiwrnod ne' ddau os lici di. Os medri di 'niodda i. Tŷ bach ar 'i ben 'i hun ydi o, a'r lôn yn dylla byw fel gogor ruwch. Ne' mi gei aros acw am fwy o amsar. Mae golwg ffeind arnat ti, waeth gen i faint o benci wyt ti.'

'Galwch fi'n rwbath 'blaw hynna.'

Llais o'r diwedd.

'Pam?'

Llais o'r diwedd.

'Dyna oeddan nhw'n 'y ngalw i. Bob munud.'

'Mi chwilia i am air arall 'ta,' atebodd dihidrwydd braf. 'Mi dria i ddeud clwydda damad wrth y dreifar bỳs i edrach fedrwn ni gael gynno fo gario dy feic di. Fel arall, mi fydd yn rhaid i ti badlio naw milltir.'

'Dydi hynny'n ddim.'

'Rwyt ti am ddŵad hefo fi, felly?'

'Ydw.'

Ydw debyg.

'Mi'i gnawn ni'n iawn, chdi a fi.' Roedd y llais main fel tasai'r penderfyniad wedi'i wneud ers talwm. 'Ers faint wyt ti â dy draed mentrus yn rhydd?'

'Pythefnos.'

'Wyt ti wedi molchi'n lân?'

Roedd yr awgrym lleiaf o gerydd yn y llais.

'Bob dydd,' prysurodd yntau i ateb, mor falch o gael dweud y gwir.

'Dwyt ti ddim yn chweina, wyt ti?'

'Nac'dw!'

Roedd yn prysuro fwy byth.

'Ne' mi fydd yn rhaid i mi dy ferwi di.'

Tybed oedd Ian yn chweina? Doedd o ddim wedi meddwl am beth felly. Roedd o wedi dod â llythyr am bla chwain adra o'r ysgol un diwrnod.

'A does gen ti ddim hen focs sgrechian canu yn y bagia 'na, nac oes?'

'Na.'

Fyddai 'na'r un llythyr am ddim yn mynd yno eto. Nid trwy'i ddwylo fo.

'Mi'i triwn ni hi 'ta.' Ond roedd o'n hen benderfyniad. 'Am ddiwrnod ne' ddau.'

74

'Awê 'ta.'

Roedd tician y beic yn bêr. Roedd haul Mehefin ar ei wegil. Am y tro cyntaf ers dyddiau roedd hi'n dychwelyd.

> And a small cabin build there, of clay and
> wattles made;
> Nine bean-rows will I have there, a hive for the
> honey-bee,
> And live alone in the bee-loud glade.

'Be oeddat ti'n 'i ddeud rŵan?' gofynnodd y llais main busnesgar o'r pafin.

* * *

Doedd o ddim wedi cysylltu ers dros wythnos, ac roedd Kate a Moses yn neidio ac yn rhusio ar bob caniad ffôn. Roedd Kate wedi symud y llun oddi ar y dresal a'i roi ar ben cwpwrdd bach y ffôn rhag ofn. Ar unrhyw adeg arall byddai Moses wedi rowlio chwerthin am ben y fath syniad. Ond roedd ei sylw yntau ar y llun hefyd, pwy bynnag oedd yn ffonio a beth bynnag oedd y neges.

Rŵan roedd y ffôn yn canu eto a Kate newydd gyrraedd adra. Rhuthrodd ato.

'Tanfelin.'

'Helô, Kate!' Brwdfrydedd lond ei chlust.

'Emyr!'

'Do'n i ddim yn siŵr o'n i'n rhy fuan i'ch cael chi adra.'

'Lle'r wyt ti wedi bod?' Aeth popeth oedd wedi'i baratoi ar chwâl. 'Tyrd adra'r munud yma cyn imi . . .'

'Cyn i chi be?' Roedd y brwdfrydedd yn hapusrwydd braf ar ei union. 'Ylwch, dw i'n gallu chwerthin am hynna hefyd rŵan.'

'Lle gythral wyt ti wedi bod?' rhuthrodd hithau.

'Yma ac acw. Dw i'n iawn. Sori na ffonis i ynghynt.'

'Lle'r wyt ti?'

'Ar 'y ffor i dŷ rhyw ddynas. Ffantastig o ddynas.'

Roedd y gair yn cael ei bwysleisio fesul llythyren heintus. Aeth Kate fwy ar goll.

'Am be . . . Wyt ti wedi ffonio adra?' ceryddodd, yn neidio i'r rhigol ddiogel.

Ennyd fechan o ddistawrwydd, ac roedd llais Emyr yn dawelach o dipyn.

'Maen nhw'n llawn cricmala bellach, wedi bod yn llonydd am gymaint.'

'Nac'dyn.' Doedd hi ddim ar goll rŵan. Doedd bod pob cysylltiad uniongyrchol rhwng cymdogion wedi dod i ben ddim yn cuddio'r amlwg. Ceisiodd beidio â swnio fel tasai hi'n edliw. 'Mae pythefnos hebddach chdi wedi gwneud gwahaniaeth. Dydyn nhw mo'r un bobol.'

Doedd hi ddim am gael sylw ar hynny. Aeth bron yn banig arni.

'Oes arnat ti ddim hiraeth?' gofynnodd.

'Dim amdanyn nhw,' meddai pendantrwydd.

'Wel be am dy ysgol di?' meddai hithau mewn llais fel llais athrawes, mor ddiarth nes iddi wrido. 'Rwyt ti'n colli dy addysg, hogyn,' ychwanegodd ar frys.

'Mae'r pris yn rhy ddrud. Dw i wedi cael addysg go lew heddiw prun bynnag, rhwng pawb.'

Arhosodd Kate am eiliad iddo ymhelaethu ar hynny,

ond doedd o ddim am wneud. Roedd cyfrinachedd yr holl beth yn ei threchu.

'Tyrd adra, boi,' ymbiliodd.

Cafodd effaith. Roedd tawelwch eto. Yna llais hollol sobr.

'Rhwng tŷ chi a'u tŷ nhw mae 'na un wal ac un gwareiddiad.'

'Tyrd yma 'ta,' meddai hithau ar ei hunion.

'A sut fyddai hi arnach chi wedyn?'

Roedd y llun yn llaw Kate.

'Rydan ni'n poeni'n ddagra amdanat ti.'

'Does dim angan i chi. Mi fasai'n werth i chi weld sut dw i'n gallu edrach ar f'ôl fy hun. A gweld drw bobol.'

'Ella bod 'na'r fath beth â bod yn rhy ffyddiog.'

'A rhy boenus. Kate?'

'Be, boi?'

'Rydach chi'n dallt, 'tydach?'

'Tyrd adra, Emyr bach, wir Dduw.'

'Pan ddo i, mi gewch chi 'nghofleidio i. 'Fath ag ers talwm.'

'Wel ia, iawn,' rhuthrodd hithau.

''Dach chi'n cofio, Kate? Dw i'n blydi cofio.'

'Cofio be?'

'Y noson y dudoch chi 'mod i wedi mynd yn rhy fawr i gael mwytha. Noson ben-blwydd. Bob pen-blwydd mi fyddach chi'n gafael rownda i a rhoi uffar o sws iawn i mi. Ond chawsoch chi ddim y noson honno, naddo? Ydach chi'n cofio, Kate?'

'Ydw,' meddai hithau'n dawel.

'Rydach chi'n gwybod pam rŵan, 'tydach?'

Doedd llais ddim am ddod am bensiwn.

'Ond mi gewch chi wneud tro nesa, drwy'r dydd os liciwch chi. Nes bydd Mos yn cracio o eiddigadd. Mae pres hwn yn darfod. Ffonia i chi eto.'

'Oes gen ti bres?' gofynnodd hithau ar ei hunion, yn anwybyddu popeth yr oedd ei hanner llais yn ei fradychu.

'Oes, ddigon. Cofiwch fi at Mos. Mi ffonia i ynghynt tro nesa. Ta ta, Kate.'

Aeth y ffôn i lawr. Deialodd hithau'r rhif olrhain yn beiriannol.

6

Hen, hen ddynes yn llonydd ar ochr y ffordd. Bob hyn a hyn roedd hi'n codi'i phen araf i syllu'n ddisgwylgar a mwy eiddgar nag y byddai'n fodlon ei gydnabod ar y ffordd yr oedd y bws newydd ddod hyd-ddi, ond doedd hi ddim yn disgwyl gweld dim o fudd am sbel eto. Roedd dau fag mawr du llawn wrth ei thraed. Roedd gwres haul Mehefin yn cael ei sugno'n barhaus gan y gôt ddu amdani a'i drosglwyddo i'w chorff, ond doedd hynny'n mennu dim arni. Roedd ei gwefusau'n symud bob hyn a hyn. Doedd neb i wrando. Rhoddai gip ar bob cerbyd a âi heibio, dim ond i weld a oeddan nhw'n rhai cyfarwydd. A'r rhai oedd yn gyfarwydd, doedd hi'n gwneud dim i ddynodi adnabyddiaeth, dim ond eu derbyn i'w chof neu eu gollwng yn syth ohono fel bo'r ffansi.

Roedd y sedd yn ôl yn ei lle priodol, a'r tair jersi'n ôl yn y bag. Fyddai byth eu hangen eto, i'r gorchwyl hwnnw beth bynnag. A'r beic yn chwipio mynd, a'r tywydd yn braf, a chorff yn iach. Sleifar. Dim mymryn o boen wrth reidio nac ar ôl reidio, os nad oedd yn digwydd taro'i gorff yn erbyn rhywbeth. Gwahodd llygaid digroeso fyddai tynnu'i grys o hyd, ond doedd dim brys. Roedd y lliwiau wedi hen ddechrau dangos eu hoed.

Roedd y dent am gael aros yn ei bag heno.

Tro, ac roedd y lwmp du i'w weld yn y pellter ar ochr y ffordd. Wrth ddynesu, gwelodd geg y lôn arall gyferbyn. Datblygodd y lwmp yn gorff a wyneb a sbectol a haul Mehefin ar ei gwydrau. Breciodd.

'Rwyt ti'n gyrru gormod! Faint o weithia mae isio deud yr un peth wrthat ti, funud ar ôl munud, awr ar ôl awr? Mi fyddi'n siŵr o gael crash waedlyd cyn diwadd.'

'Do'n i ddim yn gyrru, siŵr.'

'Newydd gyrraedd mae'r bỳs mawr! Rŵan hyn!'

'Petha ara fuo nhw rioed.'

Rhoed y bagiau ar y beic. Cychwynnwyd. Mor ara yn haul Mehefin. Dim brys am ddim yn y byd. Doedd neb i syllu. Roedd y llygaid y tu ôl i'r sbectol drwchus yn edrych yn eu blaenau ac ar y lôn oddi tanyn ac arno fo bob yn ail. Hen, hen ddynes yn ei du ochr yn ochr â hogyn hefo'i feic llwythog a'i grys-T coch glân a rhychiog a'i jîns llwyd. Ochr yn ochr, un yn siarad, y llall yn edrych yn eiddgar o'i gwmpas ar ei amgylchfyd newydd diarth. Lôn fach gul, droellog, yn codi pwl, yn lled-wastad bwl. Mymryn o welltiach yma a thraw hyd ei chanol. Cyn hir roedd giât ar y chwith, giât ddu'n dangos mymryn o rwd, yn llechu heb ei disgwyl ar dro a chydig dano. Roedd trac tyllog yn cychwyn o'r giât ac yn diflannu mewn tro islaw.

'Dyma ni, yli.'

Aeth y ddau drwy'r giât. Cortyn neilon oedd yn ei dal ar gau. Un teneuach.

'Basdads.'

'Be oeddat ti'n 'i ddeud rŵan?'

'Fawr ddim. Ydi'r tŷ'n bell?'

'Dim ond heibio'r tro dan hwnna.'

Roedd llwyth o stwff llenwi wedi'i ddympio mewn lle glas yn union y tu ôl i'r giât. Doedd dim defnydd i'w weld wedi'i wneud ohono ac roedd tipyn o waith osgoi tyllau. Daethant at y tŷ ar ôl yr ail dro. Doedd o ddim i'w weld o gwbl o'r lôn. Tŷ bach oedd o, bwthyn o gerrig blêr a dau neu dri o gytiau allan yn ei gefn a gweddillion wal gerrig rhyngddo a chae bychan. Roedd potiau pridd, bwcedi, hen sinc a hen grwc o flaen y tŷ, i gyd yn llawn pridd ac yn llawn planhigion. Roedd mintys, rhosmari, rhosyn bychan, wermod wen. Roedd dau bansi melyn a phiws a marigold yn gymysg â brenhinllys wrth y drws a mainc ddu o bren a haearn yn dangos mymryn o rwd ymhellach draw.

'Nefi Job! Ydach chi'n llusgo'r bagia trymion 'ma o waelod y lôn arall 'cw bob tro'r ydach chi'n mynd i nôl negas?'

'Hidia di befo am fy magia i. Cymedrola di dy sbîd gwyllt hefo'r beic 'na, ne' mi fydda i yma ar d'ôl di eto.'

Roedd dwy iâr ddu, dew, hen neu ddiog, yn cymryd dim sylw ohonyn nhw, dim ond pigo plwc yma ac acw o flaen y tŷ. Roedd un arall ymhellach draw, wrth hanner hen deiar a dŵr ei lond. Tynnodd yr hen, hen ddynes oriad mawr hen drefn o boced ei chôt a'i stwffio'n swnllyd i dwll clo llydan y drws ffrynt yn ei baent du. Roedd clec fel clo carchar wrth iddo agor. Pwysodd ar glicied hen drefn.

'Tyrd i mewn 'ta. Sycha 'draed ar hwnna. Mi ro'n ni'r bagia 'ma i lawr am funud, i gael ein gwynt aton.'

Roedd hi wedi mynd i mewn o'i flaen, drwy lobi bychan a phalis pren yn barwydydd iddo, a drws ym mhob pared. Roedd y drws gyferbyn yn agored. Dilynodd Emyr hi.

'Nefi blŵ!'

'Dychryn wyt ti?' gofynnodd yr hen, hen ddynes fel tasai hi'n gofyn yr un peth am y canfed tro. 'Welist ti ddim tŷ 'fath â hwn o'r blaen, naddo? Tŷ chi'n neisiach, ydi? Lot crandiach, hefo carpedi a soffas a phetha.'

'Iesu bach!'

'Ond mae'n well i ti gael dy groen llyfn yn daclusach na dy dŷ, 'tydi 'ngwas i? Yli, doro'r bag bach 'ma ar gongol 'bwr. Mi wna i le i ti.'

Roedd y bwrdd derw sgwâr oedd bron yn llenwi'r gegin dan ei sang a doedd dim posib gwneud modfedd o le arno i ddal bag na dim arall. Ond mi wnaeth hi. Roedd sŵn llestri ddirifedi'n tincian a chlecian yn erbyn ei gilydd wrth i'r naill godi yn erbyn y llall, a gweddillion prydau'n llifo oddi ar blatiau neu'n glynu arnyn nhw. Roedd poteli sos, roedd cloc, roedd dillad, llyfrau, tuniau, paced powdr golchi, poteli llefrith a mop llestri wedi gweld ei ddyddiau gwell wedi'i sodro yn un ohonyn nhw; roedd llyfr sgwennu agored ar y gornel bellaf a beiro ar ei ben, a'r sgwennu yn y llyfr yn fach ac yn gam. Roedd y cloc yn tician hanner awr union o'i blaen hi. Roedd dwy gloch larwm ar ei ben a llygad wedi'i pheintio ar bob un.

'Golchi llestri wrth yr angan fydda i. Cas beth bwr cegin heb ddim arno fo. Byrdda gwag, penna gwacach.'

Roedd yr hen, hen ddynes wedi tynnu'i chôt ac wedi'i lluchio ar gadair yn y gornel. Trodd yn sydyn a rhythu heibio i Emyr.

'Yli, tu ôl i ti, mae o yna o hyd, yli. Symudith o ddim o fan'na, mi'i dyffeia i o!'

Trodd Emyr. Ella bod y pared y tu ôl iddo wedi bod yn lliw hufen ryw dro. Bellach roedd hynny o fodfeddi ohono oedd yn y golwg yn dywyll a dwl. Canolbwynt y rhan hwnnw o'r pared wrth y drws oedd lliain sychu llestri a chanolbwynt hwnnw oedd llun ceiliog ffesant mewn cae ar ochr bryn a choed yn y cefndir pell. Roedd dau stribed llai na modfedd o led o ddeunydd tywyll yn sownd wrth ochrau'r lliain, a dau stribed arall o liain melyn ryw chwe modfedd o led yn sownd ynddyn nhw. Roedd y ceiliog yn y canol mor ystrydebol falch ag y gellid ei ddisgwyl gan arlunydd lliain sychu llestri.

'Be? Y llun ceiliog ffesant 'na?' gofynnodd Emyr.

'Galwa di o'n llun os lici di. Os ydi hi'n dlawd arnat ti.'

'Go-lew ydi o 'te? Llian sychu llestri ydi o?'

'Os ydi hi'n dlawd arnat ti. Be wyt ti'n ddeud sydd bob ochor iddo fo?'

'Dau stribad o lian melyn.'

'Llian! Drycha'n iawn arno fo, os oes gen ti llgada i wneud hynny! Be weli di?'

'Wel diawl . . .'

'Paid â rhegi! Yli! Drycha! Dau gae gwenith ydi'r rhein. Ac yli arno fo isio mynd iddyn nhw! Yli arno fo!'

Roedd hi wedi dod o ochr arall y bwrdd a safai yn ymyl Emyr gan rythu'n ddirmygus ddi-feind ar y lliain. Roedd Emyr dipyn talach na hi. Roedd o'n dalach na Kate hefyd, a bron cyn daled â Mos. A thalach na nhw.

'Yli'i llgada fo, yn gluo isio mynd am y gwenith melyn neis 'na. Ond fedar o ddim.' Roedd gwatwar lond ei llais. 'Fedar o ddim symud piga ceimion 'i draed budur o fan'na, faint bynnag o awydd sydd arno fo. Yli'r cloddia 'na. Cloddia bach ydyn nhw, a fydda'r un ceiliog gwerth 'i halan yn traffarth sbio arnyn nhw wrth 'u croesi nhw a chae o wenith melyn blasus o'i flaen o. Ond fedar hwn ddim. 'Deith hwn ddim pellach na lle mae o. Dyna fydda i'n 'i ddeud wrtho fo. Mae'r beth fach yn mynd o'ma rŵan, dduda i wrtho fo, o'ma i'r Dre. Ond mi fyddi di'n aros lle'r wyt ti yn fan'na, gwas, fydda i'n 'i ddeud, ac yna byddi di pan ddo i'n ôl. Ac felly mae o bob tro. Dydi o ddim yn licio 'mod i'n gallu mynd o'ma a fynta ddim.'

And evening full of the linnet's wings.

'Be oeddat ti'n 'i ddeud rŵan?'

'Yn rhydd maen nhw i fod hefyd 'te?'

'Nid hwn, 'ngwas i. Nid hwn.'

Trodd yr hen, hen ddynes fach draw yn ei buddugoliaeth.

'Lle cawsoch chi o?' gofynnodd Emyr.

'Anrhag gan 'y nghneithar yr hen bitsh iddi.'

Dim ond un ymadrodd di-stop. Edrychodd Emyr o'i gwmpas eto. Roedd y lle'n drugareddau i gyd, a lled-dywyllwch y gegin yn cyfrannu ei fath ei hun o gyfoeth atyn nhw. Roedd tapestrïau a llieiniau a lluniau ar bob wal, a pheiliau o lyfrau a phapurau yma a thraw. Roedd hen ddresal o dderw tywyll yn llawn joch o geriach. Ond nid dyna oeddan nhw. Ar wahân i ambell jwg a phlât neu ddau nid tegins siop na marchnad oeddan nhw, ond pethau cartra. Preniau, cerrig, brethyn. Popeth ei siâp a bron iawn bopeth ei baent, a hwnnw'n baent du yn ddi-feth. Roedd carlwm wedi'i stwffio mewn cas gwydr, y gwydr yn dew a dwl gan hen fwg a hen lwch. Roedd un tegin, os hynny. Tun hirsgwar rhyw naw modfedd o hyd a phedair o led, a'i gaead ar ddangos. Roedd baner goch, glas a gwyn ym mhob pen i'r caead, llun brenin yn ymyl un a brenhines neu gyffelyb yn ymyl y llall, a Phont Tŵr Llundain yn y canol hefo baneri llai'n chwifio'n llonydd ar ei phen.

'Wel?'

'Be?'

'Wyt ti wedi busnesa digon?' Roedd y sbectol drwchus bron yn ei wyneb, yn astudio'n ddyfal. 'Oes arnat ti isio ailfeddwl a'i heglu hi o'ma am dy einioes glwyfus?'

'Uffar gors nacoes!'

'Paid â rhegi bob munud!'

'Nid busnesa ro'n i prun bynnag.'

Ond roedd ei lygaid yn dal i fynd o fan i fan, yn dal i fethu stopio, a'i geg yn hanner agored heb iddo wybod. Odano roedd hen fat yn methu cuddio llawr anwastad. Roedd bocsys yn flêr o dan y bwrdd. Roedd tân oer yn y grât a thrugareddau ar ei phen hithau hefyd, yn jygiau a cherrig a phreniau. Roedd carreg ar yr aelwyd, carreg a fedrai fod yn siâp cath ar binsh, a wyneb a chlustiau a chynffon dro wedi'u peintio arni.

'Be 'di'ch enw chi?'

'Gerda.'

'Waw!'

'Be sydd?'

'Dyna ydi o go iawn?'

'Ia debyg.'

'Sleifar o enw.'

'Ydi o? Mae 'na gadair gron yn y gongol 'na os medri di gael ati a dŵad o hyd i le i roi'r llyfra 'na. Fyddi di'n licio llyfra?'

Cododd Emyr fymryn ar ei sgwyddau.

'Dim pob un.'

85

Roedd y lleill wedi hen ddod adra o'r ysgol bellach. Roedd llyfrau ar fyrddau a llyfrau ar welyau a rhegfeydd neu ufudd-dod uwch eu pennau. Roedd athrawon yn dal i chwarae athrawon hefo'u plant eu hunain. Ac roedd Gerda ar ei haelwyd.

'Mae 'na ddigon o waith darllan i ti yma. Dos â'r rheina drwodd i fan'na. Fan'na y byddi di'n cysgu. Mae'r gwely'n ddigon eiri. Chei di ddim cysgu mewn gwely tamp gan y beth fach.'

Doedd wybod ble'n union oedd fan'na.

'Lle, felly?'

'Drwodd yn fan'na! Gwranda'r tro cynta!'

O leiaf roedd hi wedi pwyntio. Edrychodd Emyr i'r lobi.

'Chwith 'ta dde?'

'Gefn wrth gefn i fa'ma. Lle arall?'

Agorodd Emyr y drws ar y chwith. Roedd gwely bach a bwrdd hefo drôr fechan wrth ei ochr a dim arall, heblaw am lenni tenau.

'Hen ddigon.'

Dychwelodd i'r gegin a dechreuodd gario'r llyfrau fesul llwyth i'r llofft a'u gosod i lawr yn daclus yn y gornel bellaf.

'Wyt ti'n licio tatws cynnar John Mur Calchog a becyn ac ŵy 'di ffrio?'

'Sleifar.'

'Oes 'na eiria erill yn y byd tlawd 'ma 'dwch?'

Roedd carreg ar ben cwpwrdd, yn baent du bygythiol drosti.

'Be 'di hwn?' gofynnodd.

'Hwnna?' gofynnodd Gerda ar ei hunion. 'Paid di â chyffwr pen dy fys yn hwnna.'

86

Wyneb o fath oedd o. Roedd olion mwsog yma a thraw yn rhoi argraff o gysgodion arno, a'r paent yn tanlinellu hynny, yn ei ordanlinellu fel pob paent ar bopeth arall yno.

'Iawn,' meddai Emyr, yn amlwg heb y parchedig ofn priodol. 'Pam?'

'Pam! Be ti'n feddwl, pam? Be weli di?'

'Carrag wedi'i pheintio. Llun gwynab.'

'Be arall? Be arall?'

Roedd Gerda wedi dod ato eto. Safai lathen oddi wrth y garreg a'i bys yn pwyntio'n ochelgar tuag ati.

'Ym . . . mae'r siâp yna'n barod ond rydach chi wedi dod â fo fwy i'r amlwg hefo paent,' atebodd yntau, yn gwybod erbyn hyn na fyddai croeso i'r fath foelni.

'O ia. Pam? Paid â chyffwr yn'o fo!'

'Sori. Am – am eich bod chi'n gweld yr wynab yn un da.'

'Tasa hynny mi fasat yn cael 'i ddal o yn dy ddwylo. Weli di mono fo?'

Roedd yn ddigon amlwg o'r dechrau.

'Y Diafol 'di hwn,' dyfarnodd, yn araf rhag ofn.

Plesiodd.

'Rwyt ti wedi'i weld o. Mi fyddwn ni'n dau yn iawn, mi wela i rŵan. Allan yn 'cae wrth hel pricia y ffendis i o. Mi ddois ag o yma i ddangos iddo fo 'mod i wedi'i nabod o a'i gastia.'

'Doedd o ddim mor llonydd â hyn yn tŷ ni.'

Ond doedd dim gwahaniaeth bellach. Gwelodd becyn o lyfrau ar y bwrdd. Mentrodd hi. Aeth ag o i'r llofft at y lleill. Roedd Gerda wedi'i weld o'n gwneud ond ni ddaeth cerydd. Daliai hi i edrych ar ei charreg.

'Hidia befo,' meddai. 'Dwyt ti ddim yn credu ynddo fo. Mi wela i ar dy wynab gola di. Dydw i ddim dicach.'

'Ydach chi'n darllan llawar?' gofynnodd o, yn gwneud llwyth arall o lyfrau o'r bwrdd yn beil.

'Pob gair.'

'Be fyddwch chi'n 'i ddarllan?'

Doedd o ddim wedi meddwl edrych ar deitlau'r un o'r rhai'r oedd wedi'u cario, dim ond mynd â nhw.

'Llawar o betha,' atebodd Gerda. 'Barddoniaeth a . . .'

'Yeats?' hanner gwaeddodd brwdfrydedd heintus ar ei thraws.

'Y?'

'Sgynnoch chi lyfra Yeats?'

'Y bardd? Ella bod 'ma rwbath gynno fo yn un o'r llyfra 'ma. Pryddesta 'di 'mhetha i. Mi fydda i'n sgwennu amball i bryddest, rŵan ac yn y man. Mewn pensal ac mewn inc. Mae gen i lawar o betha i'w deud ynddyn nhw.'

'Pam ydach chi'n cadw hwn yn fa'ma?' gofynnodd o, a hithau'n dal i syllu ar ei charreg.

'I mi gael cadw 'ngolwg arno fo. Fedar o ddim gwneud 'i dricia milain arna i o fan'na.'

'Mae hwn a'r ceiliog ffesant yn sownd gynnoch chi.'

'Ia, waeth i ti fynd â'r rheina drwodd hefyd ddim,' meddai hithau, yn troi i weld y llyfrau. 'Mi fydd angan mwy o le ar y bwr rŵan. Rwyt ti wedi gwneud lle reit daclus i chdi dy hun yn y gongol 'na.'

'Iawn.'

'A thendia di faglu ar draws iâr nymbar thrî.'

'Y?'

'Dan dy draed di!'

Roedd un o'r ieir tewion yn pigo'r llawr wrth goes y bwrdd.

'Dyna i ti be mae hwn yn wnynllyd iddo fo.' Roedd Gerda'n sefyll o dan y ceiliog ffesant ac yn cau'i dwrn arno fo. 'Pan fydd ieir y beth fach yn dŵad i'r tŷ. Mae o'n 'u gweld nhw'n cael mynd a dŵad yn 'u rhyddid ac ynta'n sownd yn fan'na. A sownd y bydd o, mi dyffeia i o. Yli berwi gan eiddigadd mae o. Fo a'i hen gynffon!'

Osgôdd Emyr yr iâr ac aeth â'i lwyth llyfrau i'r llofft. Roedd iâr arall yn y lobi.

'Prun 'di hon?' gofynnodd.

Daeth pen i'r drws.

'Iâr nymbar wan. A thyn y crys coch 'na i mi gael 'i smwddio fo. Mae isio i bawb wisgo petha 'di'u smwddio.'

''Di o'm ots, chi.'

'Ydi, neno'r Tad! I ddangos parch atat ti dy hun ac at bobol erill!'

'Be, smwddio dillad?'

'Paid â thaeru hefo'r beth fach bob munud! Oes gen ti ddillad yn y bag mawr 'na ar dy feic?'

'Oes. Maen nhw i gyd yn lân.'

'Ydyn nhw wedi'u smwddio?'

'Naddo.'

'Dos i'w nôl nhw y munud yma.'

'Iawn. Does dim isio i chi.'

'Oes! A dyma i ti oriad cwt talcan. Clo dy feic yn hwnnw rhag ofn i ladron nos fynd â fo.'

Roedd y llaw a'r bysedd meddal a roddodd y goriad yn ei law o'n gafael yn dynn. Aeth allan, heibio i'r iâr yn y lobi a thros un arall yn y drws allan. Datglymodd ei fag ac aeth â'r beic a'r dent i'r cwt. Roedd oglau hen ynddo, cerrig crynion mân dan draed a ffenest fechan lân yn ei dalcen. Roedd stôl mewn un gornel a dau sach mewn un arall. Roedd hen gwpwrdd drorau wrth y wal gyferbyn â'r drws a phreniau a cherrig arno yntau hefyd. 'Daeth o ddim i fusnesa. Clodd y beic yn y cwt, a mynd at weddillion y wal gerrig fechan i weld yr olygfa. Draw ymhell, filltir a mwy, gwelai lori wen ar y briffordd yr oedd newydd fod arni. Roedd tŷ, eto ymhell, a fferm ymhellach. Roedd caeau, cloddiau, coed.

'Uffar gors!'

Doedd gwell llonydd na hyn ddim i'w gael. Yr unig ddrwg oedd ei fod yn amau bod yr holl le ar ormod o lethr i gynnal afon.

> *Dropping from the veils of the morning to where the cricket sings;*
> *There midnight's all a glimmer, and noon a purple glow,*

'Uffar gors!'

Roedd drws arall a ffenest rhwng cwt y beic a drws y tŷ. Aeth at y ffenest. Gwelodd fàth glân wrth y wal gyferbyn.

Roedd Gerda yn nrws y tŷ yn edrych arno.

'Sori 'mod i'n busnesa,' meddai Emyr. 'Ga i dalu am fàth?'

'Wyt ti'n meddwl fod y beth fach yn rhy dlawd i roi bath poeth i ti?'

'Na, ond . . .'

'Mi gei di fàth poeth tra bydda i'n gwneud bwyd. Mi smwddia i dy ddillad di wedyn.'

'O allan ydach chi'n mynd i'r bàth?'

'Ia. Mi gynigiodd John Mur Calchog dorri twll drwy'r wal ond dydi peth fel'na ddim i fod. Malu walia tai pobol.'

'Be fyddwch chi'n 'i wneud pan mae hi'n bwrw?'

'Côt oel felan am gorff y beth fach. Cym di fàth iawn. Mae 'na ddigon o ddŵr poeth.'

'Wna i mo'i fentro fo'n rhy boeth.'

Tynnodd Emyr ei grys. Doedd o ddim wedi meddwl, ond roedd bloedd fechan yn dod o enau Gerda.

'Hidiwch befo. Maen nhw'n gwella,' meddai o. 'Dim ond pan 'dw i'n pwyso arnyn nhw maen nhw'n brifo rŵan.'

'O Dduw annwl! Welodd y beth fach rioed rotsiwn beth!'

Roedd hi'n sefyll yno, wedi'i pharlysu, ei breichiau bron yn syth i lawr a fymryn oddi wrth ei chorff a'i llygaid yn fawr y tu ôl i'r sbectol a'i cheg ar agor a'i dannedd melynion yn y golwg. Yno, dim ond yn rhythu ar ei gorff. Ond roedd Emyr yn hamddenol.

'Fedrwn i mo'u dangos nhw i Mos. Dyma be 'di rhyddid, ylwch.'

Dyma be 'di rhyddid, Mos. Roedd Gerda'n dal yn ei hunfan.

'A mae 'nhin i'n gwella hefyd. Dw i'n meddwl 'u bod nhw wedi clirio oddi arno fo. Ydw i'n iawn?'

Roedd y parlys ar ben ar amrantiad.

'Cym di'r ofal â dangos peth felly i'r beth fach a'r un dyn wedi cael twtsiad pen 'i fys yno' i rioed! A phaid â chwerthin am ben y beth fach bob munud!'

'Sgynnoch chi ddrych 'ta?'

'Mae gen i ddigon o lieina meddal. Unwaith maen

91

nhw'n dechra cledu mi fydda i'n 'u llosgi nhw. Dydi llian calad ddim i fod ar gorff neb.'

Doedd yr un drych yn y cwt bàth. Doedd o ddim wedi gweld un yn y tŷ chwaith. Llanwodd y bàth. Roedd y dŵr oer yn taranu o'r tap a rhoddodd dipyn mwy o hwnnw nag o ddŵr poeth. Roedd mat bychan ar lawr llechan a silff bren gartra uwchben y bàth i ddal sebon a bachyn mewn pren ar y wal i ddal lliain. Claerwyn a diaddurn oedd y waliau. Roedd toiled yn un gornel a ffrij yn y llall. Mentrodd y bàth cynnes. Daeth ebychiad bychan tawel digymell o'i enau y munud hwnnw. Roedd mor fendithiol ddi-boen. Arhosodd yn llonydd braf ynddo am eiliadau hirion i werthfawrogi. Ond dim ond un peth oedd hynny. Roedd hyn mor wahanol i afon, mor wahanol i gawodydd toiledau cyhoeddus. Dim mymryn o angen cip dros ysgwydd, dim mymryn o angen gobeithio'i bod yn glir cyn datgloi drws. Yma'r oedd y bàth yn gynnes a'r drws yn llydan agored ac yn ddiogel. Molchodd, dowciodd, chwaraeodd, chwythodd swigod o bob maint a phob cyflymder. O dipyn i beth wrth iddo fod yn fodlon ei fod wedi molchi a chwarae digon tawelodd sŵn y dŵr a gallodd ddechrau canolbwyntio. Roedd cael bàth tawel a gwrando ar synau bychan cyfrin Mehefin drwy ddrws agored cwt gwyn diarth yn llawn cymaint o ryfeddod â dal nico mewn trap trwstan. Roedd ei gorff wedi cael pythefnos o lonydd ac roedd hynny'n gymaint rhyfeddod fyth. Ond roedd y rhyfeddod mwyaf wedi digwydd ddwyawr ynghynt.

'Sleifar.'

Yr unig ddrwg oedd nad oedd Teleri ac yntau wedi penderfynu oeddan nhw'n gariadon. Doedd y peth ddim wedi codi. Sgwrsys aeddfetach nag efo neb arall a gwenau swil yn eu canol ac ar eu diwedd. Ond roeddan nhw'n gymaint o ffrindiau nes derbyn llawer sbeit gan gyfoed, petai ots am hynny. Roeddan nhw'n gymaint o ffrindiau nes iddo fo fagu digon o blwc i ddweud wrthi. Ond geiriau côd ddaeth allan o'i enau i ddisgrifio'i gorff wrth Teleri y diwrnod hwnnw. Dridiau wedyn roedd hi'n rhy hwyr.

Os nad oedd pawb yn gwybod, wrth gwrs. Os oedd pobol yn mynd heibio pan oedd y gweiddi a'r clecian ar eu hanterth mynych roedd yn amhosib nad oedd y straeon yn mynd ar led. Ella bod pawb yn gwybod, ac ofn gwneud dim fel Mos a Kate. Dyna be oedd ar y lleill ambell dro ella pan oedd o'n tybio'u bod yn edrych yn amheus braidd pan ddeuai atyn nhw, a'r teimlad a gâi bod eu sgwrsys yn cael eu rhoi heibio ar drawiad. Dyna pam rŵan nad oedd arno hiraeth am neb ond Teleri. A Kate a Mos. Rŵan yn y bàth cynnes roedd yn gallu meddwl heb ddiawlio, yn gallu meddwl heb ddagrau. Nid gair babis oedd hiraeth. Roedd arno hiraeth am Teleri. Ac am Kate a Mos.

Daliodd i fwydo'n fodlon yn y bàth nes clywed Gerda'n galw arno. Dim ond siorts glân roddodd amdano.

'Mi ro i gyfla i'r haul a'r awyr iach,' meddai wrth Gerda, yn feddw gan oglau'r becyn. 'Mae mor sleifar cael tynnu 'nghrys.'

'Hidia di befo nhw. Tyrd i fyta.'

And evening full of the linnet's wings.

'A phaid â siarad hefo chdi dy hun bob munud.'

Roedd y gyllell carn melyn a'r fforc lydan yn hen, ond yn lân, a sŵn eu clec ar y plât yn cael ei ddylu gan fân graciau henaint drwyddo. Ond roedd y plât hefyd yn lân. Golchi llestri wrth yr angan. Roedd y bwyd yn odidog, a'r sglaffian yn amlwg yn plesio a'r derbyniad awchus o ail banad yn plesio mwy fyth a'i gorffen hi hefo brechdan sos ola'r plât yn goron ar blesio.

'Mae gen i rwbath arall i'w ddangos i ti rŵan.'

Gadawyd y llestri heb eu golchi. Aeth Gerda â fo i'w llofft hi, gyferbyn â'r llall. Roedd hon yn llawnach na'r bwrdd yn y gegin, yn ddillad a dodrefn o un pen i'r llall. Roedd papur o flodau pinc a gwyn ar y parwydydd ers pan oedd y beth fach yn beth lai a'r llenni llipa ar y ffenest fechan yn helpu'r dodrefn a'r dillad i dywyllu'r lle. Roedd y llwythi gobennydd amryliw ar ben y gwely'n cyrraedd mor uchel fel bod Emyr yn meddwl na fedrai ei phen fynd arnyn nhw heb iddi sefyll. Roedd dwy wardrob a dau gwpwrdd drorau yn golygu nad oedd y llwybr oedd rhwng y drws a'r gwely ond y lleia rioed.

'Fa'ma mae'r beth fach yn cysgu'r nos.'

Roedd y sŵn mor glòs nes gwneud ei llais yn wahanol. Yr un oedd y meindra ond doedd dim o'r adlais na'r tinc.

'Be wyt ti'n 'i chwerthin rŵan eto?'

'Welis i rioed ffôn mewn desgil o'r blaen.'

Roedd y ddesgil felen ar ganol y gwely a'r ffôn yn swat ynddi a'r cebl yn cynffonna dros yr erchwyn.

'Mae gen i un i molchi.' Y fath resymeg. 'Ac un arall i olchi dillad budron. Be arall wnawn i hefo hi?'

'Be 'dach chi 'di'i sgwennu arni hi?'

Paent du eto. Geiriau bras, anghywrain.

'Dos i edrach. Darllan o.'

Eisteddodd Emyr ar y gwely.

A fo doeth, efo a dau;
Annoeth, ni reol enau.

'Da 'te?'

'Yn enwedig o dan y ffôn. Mae angan i ti fod yn ofalus be wyt ti'n 'i ddeud wrthyn nhw.'

'Dydi hynny ddim yn gweithio bob amsar chwaith.'

'Hidia befo, 'ngwas gwyn i. Mi drychith y beth fach ar d'ôl di tra byddi di yma.'

'Dw i'n iawn rŵan. Does gynnoch chi ddim rhif ar y ffôn 'ma.'

'Rhag ofn i hen betha ddŵad yma i fysnesu ac i ffonio a dychryn y beth fach gefn nos. Be 'di o bwys iddyn nhw be 'di nymbar 'y ffôn bach i? Does arna i isio dim gynnyn nhw. Ac os bydd arna i isio rwbath gan rywun a nhwtha'n gaddo ffonio'n ôl mi fydda i'n deud wrthyn nhw na fedran nhw ddim am nad ydi'r rhif gynnyn nhw. Mi'ch ffonia i chi fydda i'n 'i ddeud wrthyn nhw bob tro, a dydyn nhw ddim yn licio hynny chwaith, mi elli fentro d'enaid ifanc. Dim ond John Mur Calchog sy'n 'i wybod o. Dim ond fo sy'n cael ffonio yma. Ffonio allan bydda i.'

'Dydach chi ddim yn y llyfr felly?'

'Busneswrs gythral. Mi fyddan nhw'n chwilio hyd ddydd y farn cyn y cân nhw afael arno fo.'

'Pam ydach chi'n 'i gadw fo ar y gwely?'

'Fel na fydd raid i mi godi i ffonio Doctor Gwilym pan a' i'n sâl.'

'Ydach chi'n sâl?' gofynnodd yntau fel siot.

'Mi a' i ryw ddiwrnod, yn gwnaf?' meddai hithau'n rhesymol ddifater. 'A phan ddigwyddith hynny, mi fydd y ffôn yna.'

'Be tasach chi'n mynd yn sâl yn rwla arall?'

'Paid â stwnsian, hogyn. Yli, dyma be oedd arna i isio'i ddangos i ti. Y drôr isa 'ma.'

Agorodd ddrôr yn y cwpwrdd agosaf at y drws. Roedd yn tuchan beth wrth blygu, a'i hwyneb coch yn cochi, a'r sbectol dew yn llithro i lawr y trwyn smwt. Hanner llawn oedd y drôr. Ond roedd balchder tawel digamsyniol yn y llygaid dyfal.

'Pob dim yn barod, yli.'

'Barod i be?' gofynnodd yntau'n chwilfrydig.

'Hon ydi fy drôr anga i.'

'Arglwydd annwl!'

'Paid â rhegi! Plant heddiw.'

Cododd bethau.

'Dyma i ti goban, a sana gwlân i gadw traed y beth fach yn gynnas. A chlap o sebon sent, sebon gwyn i 'molchi i. A llian i 'sychu i. A bandej i gau 'ngheg i'n dynn rhag ofn iddi ddisgyn yn gorad 'fath â'r bobol 'ma ar 'Cyngor. A sgwâr o sidan gwyn i roi dros 'y ngwynab bach i.'

Agorodd y sgwâr a'i roi yn nwylo Emyr. Roedd y cyffyrddiad dwylo mor bendant.

'Dyna fo, yli. *Gerda* wedi'i bwytho drwyddo fo. Weli di o? Fi ddaru hwnna fy hun. A rhein. Welist ti'r rhein o'r blaen?'

Roedd dau ddarn pres yn ei law, a'r bysedd yn aros ennyd.

'Ceinioga ers talwm,' meddai yntau.

Roedd wedi'i syfrdanu. Yr unig gysylltiad yn ei feddwl o rhwng pobl a'u marwolaeth eu hunain oedd ewyllysiau, a doedd ganddo fawr o wybodaeth na diddordeb mewn pethau felly. A dyma fo, yn ei siorts a'i gleisiau, yn eistedd ar wely diarth yn mynd trwy gyfrinachau a threfniadau olaf dibryder dynes ddiarth yn ei sbectol drwchus.

Dw i wedi ennill. Maen nhw wedi methu cael y gora arna i. Wedi methu'n rhacs.

'Siarad yn gliriach, hogyn. Wyddost ti i be mae'r rhein yn dda?'

'I'w rhoi nhw ar eich llgada chi?'

'Ia. Dros llgada'r beth fach, i'w cau nhw. Does 'na ddim digon o bwysa yn y pres newydd 'ma i gau llgada chwannan. Y ddwy geiniog yma fuodd ar llgada Mam. Roeddan nhw'n newydd sbond yr adag honno. Fi aeth i'r banc i'w nôl nhw.'

Rhoddodd Emyr y ceiniogau'n ôl iddi. Mynnodd hithau mai i'w llaw roedd o'n gwneud hynny.

'Oedd ych tad wedi marw ynghynt?' gofynnodd.

'Paid â holi bob munud. A dyma i ti lythyr. Mae hwn yn deud lle mae 'mhres i a 'nhwrna i. Darllan o.'

Roedd y llythyr mewn amlen lân. 'Daeth Emyr ddim i'w ddarllen, dim ond rhoi cip frysiog arno. Ond roedd geiriau llawer brasach ar ei waelod.

'*Hwyl a Fflag i'r Byw!*' Chwarddai'n braf. 'Da 'te?'

'Fel'na mae bod, 'sti. Does arna i isio i neb alaru ar f'ôl i.'

'Na finna,' atebodd Emyr gyda'r un pendantrwydd a'r un dihidrwydd. 'Fasa 'na neb, prun bynnag,' ychwanegodd yn yr un llais a'r un teimlad heb weld yr ymateb sydyn wrth ei ochr.

Ond uffar gors. Teleri.

'Faint 'di'ch oed chi?' gofynnodd yn sydyn.

'Dwy ar bymthag a thrigian a wela i'r un arall.'

Fel dweud pa ddiwrnod fyddai trannoeth.

'Be 'dach chi'n 'i feddwl?' gofynnodd yntau'n syfrdan.

'Fydd y beth fach ddim yn hir rŵan. Mae gen i lwmp 'sti.'

Roedd ganddo yntau un dirybudd hefyd.

'Lwmp o be?' gofynnodd, fel un wedi cael cam.

'Lwmp tu mewn, y lembo bach.'

Uffar gors!

'Pam nad ewch chi at 'doctor?' gofynnodd, neu ymbil.

'Mi fydda i'n mynd weithia,' atebodd hithau yn yr un llais ag arfer. 'Chafodd 'na'r un hen ddyn rioed dwtsiad yno' i. Er mae Doctor Gwilym yn un da hefyd. Mi fydd o'n gwylltio am 'mod i'n 'cau gwrando arno fo ond mi fydd o'n chwerthin yn diwadd.' Cadwodd y ceiniogau yn eu holau a thacluso'r drôr cyn ei chau. 'Mi fydd y beth fach yn mynd o'ma pan fydd y Duw Mawr uwchben yn deud hynny ac nid pan fydd llond lle o gotia gwynion yn ysgwyd 'u hen benna diffath.'

'Does gynnoch chi ddim ofn marw, felly?' gofynnodd yntau, a'r pwnc yn newydd sbon.

'Ddim hannar cymaint â'r bobol 'ma sy'n treulio'u hoes yn deud lle mor braf ydi'r nefoedd.'

Pwyntiodd at y ffôn. Roedd yn amlwg fod y drafodaeth arall ar ben.

'Mi gei ffonio os 'ti isio. Dim ond i ti ddeud.'

'Mi a' i i giosg yn ddigon pell,' meddai yntau ar unwaith. 'Maen nhw'n gallu ffendio o lle 'dach chi wedi ffonio rŵan.'

'Ydyn, mi wn i.' Roedd min newydd ar ei llais. 'Yr hen sgimars bach.'

'Mae'n well i neb beidio â dod i wybod 'mod i yma,' meddai Emyr, yn synhwyro ers cyn y bàth arhosiad mwy na'r awgrym yn y dre. 'Ella ma' chi fyddai'n mynd i helynt.'

Roedd rhyw dinc hirbaratoi a hirymarfer yn ei hateb.

'Mi drychith y beth fach ar 'i hôl 'i hun. Dw i wedi gwneud rioed. Mae 'na lawar wedi trio cael y gora arna i. Wedi methu maen nhw i gyd. Yr hen hogyn Tai'r Gongol 'nw'n chwerthin am 'y mhen i ac yn gweiddi petha budur arna i ac yn taflu mwd a baw ar 'y mhen i. Tua'r un oed â chdi oedd o. Mi ddoth yma a malu ff'nestri'r beth fach. Ddaw dim daioni i chdi, 'ngwas i, medda fi wrtho fo. Ddaw dim daioni i neb sy'n 'y nhrin i fel'na, fel baw cwt mochyn. A ddaeth 'na ddim. Mae o'n codi'n bymthag ar hugian oed ac yn wael ac wedi bod ym mhob un man yn Ingland and Wêls yn chwilio am feddyginiaeth, ond wêl o byth beth felly.'

Doedd dim mymryn o gasineb nac o ddial yn ei llais, dim ond naturioldeb ffeithiau.

'Ella basa fo wedi mynd yn sâl prun bynnag,' cynigiodd Emyr yn betrus amheus.

'Fasa fo rŵan? Fasa fo rŵan? Mi wn i 'u bod nhw'n 'y ngalw i'n wrach hyd y lle 'ma, ond dydw i ddim. Mi wn i be 'di gwrach, a wyddan nhw ddim yn siŵr i ti. Ac mi ddaeth yr hen Guto Canol Rhos 'nw yma a chodi cythral o helynt a deud 'mod i wedi witsio'i warthag o. Ddaru mi ddim byd o'r fath. Doedd dim isio iddo fo fynd rownd i ddeud clwydda am y beth fach yn y lle cynta, yn deud 'mod i'n gorfadd hefo dynion. Chafodd 'na'r un dyn rioed dwtsiad yno' i. Dw i'n dy ddychryn di rŵan 'tydw?' meddai ar yr un gwynt heb edrych arno.

'Nac'dach,' mentrodd yntau.

'Mi wela i ar dy wynab clir di,' meddai hithau heb edrych.

''Dach chi'n rong. Neith geiria mo 'nychryn i.'

'Hm. Ond hidia di befo, 'ngwas i, mae'r beth fach yn ddigon diniwad ac yn ddigon ffeind. Mi gei di fynd i dy wely unrhyw adag. Rwyt ti wedi blino'n lledan, i'w weld. Pryd codist ti heddiw?'

'Tua saith. Chi bia'r cerrig mân wrth y giât?'

'Ia.' Roedd y llais yn chwyrn. 'Mi ollyngodd y cythral Wili Bryn Dinas 'na nhw yma a chymryd 'i bres a welis i byth mono fo. Mi rois i fy melltith arno fo a'i lori. Paid â chwerthin am ben y beth fach medda fi!'

'Sgynnoch chi ferfa? Mi drwsia i y lôn i chi fory.'

'Talu am dy lojin wyt ti?'

'Ia.'

'Dos di i dy wely a gad i fory bell edrach ar 'i ôl 'i hun.'

*   *   *

Doedd hi ddim yn dywyll. Roedd yr anadl o'r gwely'n anghlywadwy ysgafn. Roedd braich ddigleisiau ymhlyg ar ben y cwrlid a'r llaw yn gorffwys ar y gobennydd fodfedd neu ddwy o'r wyneb tawel a'r bwlch bychan rhwng y bawd a'r bysedd yn hynod naturiol. Roedd yr ysgwydd noeth yn glais tywyll. Roedd y gwallt golau'n flêr dros glust ac ar y gobennydd uwchlaw'r pen. Ymhen hir a hwyr, roedd y drws yn cael ei agor yn araf ddistaw ac yn cael ei gau'n araf ddistaw. Pan ddeffrôdd Emyr fore trannoeth roedd cadair fechan ar ganol llawr y llofft.

100

7

Nine bean-rows will I have there, a hive for the
*   honey-bee,*
And live alone in the bee-loud glade.

Rhedeg i lawr heibio i'r tro rhag ofn. Wedi clywed sŵn
car oedd o, ond aeth hwnnw heibio ymhen munud neu
ddau a dychwelodd yntau at ei ferfa. Doedd dim
pwrpas rhuthro'r gwaith ond byddai'n dda ganddo
gyrraedd y tro fel y gallai weithio o olwg y lôn fach.
Ond roedd y lleill yn yr ysgol. Roedd gan Gerda
bwysau hanner cant yn dal drws y cwt ieir. Neith hwn
yn sdîmrolar gen ti? gofynnodd. Roedd Emyr wedi
clymu rhaff yn ei ddolen a dim ond ei ollwng ar y stwff
yn nhyllau'r lôn bob yn ail â neidio arno ac roedd y
trwsiad mor galed ag y gallai prentis brwd a diolchgar
ei gael. Ac i brentis roedd deuddydd os nad tridiau o
waith ar y trac.

Doedd trafnidiaeth ddim yn broblem chwaith gan ei
fod mor brin a'r tawelwch yn rhoi'r faint a fynnid o
rybudd o'i ddynesiad. Gan nad oedd brys, roedd yn
braf cael pwyso ar y clawdd o bryd i'w gilydd i
ddathlu'i lwc a phendroni a dilyn hynny o ochrau
lorïau a faniau uchel a welai ar y briffordd
amherthnasol yn y pellteroedd. Doedd y mynych
seibiau ddim yn ddojo chwaith. Gofala di nad wyt ti'n
mynd i ruthro dy waith oedd y siars, dydi dy gorff bach
di ddim mewn cyflwr iti'i hambygio fo a fydd o ddim
am amsar hir eto chwaith. Dydi o ddim yn fach,
meddai yntau, dw i'n dalach na nhw ac yn dalach na

101

chi. Paid â bod mor bowld! arthiodd hithau ac yntau am y tro cyntaf yn ei oes yn gallu chwerthin o glywed y gorchymyn hwnnw.

I will arise and go now, for always night and day
I hear lake water lapping with low sounds by the
shore;

'Dw i wedi ennill, prun bynnag. Beth bynnag ddigwyddith, tasan nhw'n mynd â fi o'ma mewn handcyffs, dw i wedi ennill. Mi fasa'n rhaid iddyn nhw agor y blydi handcyffs rywbryd a mi faswn i'n dengid. Dydw i ddim yn mynd yn ôl atyn nhw.'

Uffar gors!

Mi wnâi o hefyd. Annibyniaeth costied a gostio. Wel annibyniaeth oddi wrthyn nhw. Os oedd Gerda am ei gadw am ychydig fe dalai'n ôl iddi drwy ei waith. Ond penderfyniad oedd penderfyniad. Doedd dim brys i lenwi tyllau'r lôn, ond roedd yn rhaid iddo aros sbel eto prun bynnag oherwydd roedd Gerda wedi mynd i'r bàth ac roedd o wedi cael gorchymyn ffyrnig i gadw draw ar boen ei enaid.

Cyn hir, daeth Gerda o'r cwt bàth. Roedd ei dillad glân amdani a'i dillad budr am ei braich, a'r ddau lwyth yr un fath yn union â'i gilydd, sanau llwyd byrion, ffrog ddu, jersi gwddw crwn llwyd tywyll. Roedd peisiau a blwmars ar y lein ddillad yn y cefn ac roedd Emyr wedi cael gorchymyn siort i beidio ag edrych tuag yno.

Cadwodd y ferfa o dan y tro ac aeth i'r tŷ ar ei hôl. Roedd hi eisoes yn golchi dau blât hefo'r mop a welsai ei ddyddiau gwell ac roedd oglau bàth a sebon lond y gegin, yn wrthgyferbyniad syfrdanol i'w chynnwys.

Roedd un o'r ieir wrth draed Gerda, ond doedd Emyr ddim wedi nabod digon ar y tair eto i allu dweud prun oedd prun. Rhoes Gerda gip arno drwy sbectol lân a chanlyn ymlaen hefo'i dau blât. Eisteddodd yntau yn ei gadair gron dim ond i'w gwylio. Roedd hi wedi mynnu ei fod yn gwisgo crys i weithio rhag ofn iddo gael baw ar ei archollion duon.

'Sgynnoch chi fenthyg amlan go fawr ga i?' gofynnodd mor ddi-hid ag y gallai.

'Be wnei di â pheth felly yn dy oed di?'

Byddai'n well ganddo gael 'oes' neu 'nac oes' moel yn ateb. Ceisiodd dric. Roedd eisoes wedi darganfod bod gwneud paned i Gerda heb ymgynghori â hi yn gyntaf yn plesio'n ddirfawr. Golchodd ddwy gwpan yn y dŵr platiau a llenwodd y teciall. Cymerodd Gerda'r ddwy gwpan oddi arno i'w sychu.

'Wyt ti am atab cwestiyna heddiw?' gofynnodd.

Y gwir, felly.

'Pan ddengis i o adra mi es â'u pres nhw. Dros bum cant o bunna. Maen nhw yn y drôr fach yn y bwr wrth y gwely. Dw i am eu gyrru nhw'n ôl iddyn nhw.'

Dyna fo. Wedi'i ddweud.

'Mi dyrcha i am wreiddia cyn dibynnu arnyn nhw na'u pres.'

Dim ond nodio a chipolwg oedd yr ymateb, am ennyd.

'Mae gofyn i ti fod yn wyliadwrus hefo'r rheini hefyd. Dydi gwreiddia ddim yn betha i chwara hefo nhw.'

'Dydyn nhwtha ddim chwaith, mae hynny'n blydi saff.'

'Paid â rhegi bob un munud o dy oes!'

'Sori.'

'Chafodd y beth fach rioed achos i ddwyn.'

'Ia, wel . . .'

'Paid â thorri ar 'y nhraws i bob munud!'

'Sori.'

'Deud o'n i na wela i ddim bai arnat ti. Ond gyrra di'r pres yn ôl iddyn nhw os nhw pia nhw.'

'Mae gen i gownt banc prun bynnag. Mae 'na dros ddwy fil yn hwnnw. Ond mi gân nhw'r rheini hefyd cyn y cân nhw fi'n ôl.'

Sychodd Gerda'i dwylo hen, eu sychu drosodd a throsodd, gan rwbio'r lliain meddal rhwng pob bys yn ei dro, a'u dal o flaen ei sbectol i'w hastudio.

'Danial Canol Rhos, yr hen gythral iddo fo. Deud 'mod i'n dwyn petha o'i gaea fo, 'i hen datws duon o a'i hen foron tyllog o. Ac ynta wedi rhoi 'i hen dail drewllyd ar 'u penna nhw. Fytwn i ddim byd ar ôl 'i hen dail o, siŵr iddo fo. Deud 'mod i'n cuddiad yn y coed. Be oedd bwys iddo fo be o'n i'n 'i wneud yn y coed? Ddallta fo dragwyddol tasa rhywun yn egluro iddo fo fesul llythyran. Be wydda fo be oedd y coed a'r cerrig yn 'i ddeud wrth y beth fach? Be welodd o rioed yn y nos ddu ond twllwch?'

Roedd y lleill yn cicio sodlau rhwng gwersi. Rhoes Emyr ddwy lwyaid o de rhydd yn y tebot ar ôl ei boethi. Roedd y lleill ar ddechrau gwers Bywydeg. Cyfnod Allweddol rwbath neu'i gilydd.

'Pan welan nhw fi eto fydd neb yn fistar ar neb.'

'Paid di â dwyn 'u petha nhw. Mi fyddi'n llawar tawelach dy fyd o beidio. Dydi'r beth fach ddim yn rhy dlawd i dy gadw di. Pam na roi di'u pres nhw yn y banc i'w drosglwyddo i'w cowyn nhw? Mae'n well i ti beidio trystio'r Post Mawr hefo cymaint â hynna o bres.'

'Duw, ia. Mi ffendian nhw o pa fanc, ond maen nhw'n gwybod o pa giosg y ffonis i nhw hefyd 'tydyn? Ydach chi isio rwbath o Dre?'

'Nac oes.'

'Mi weithia i'n well wedyn.'

Cawsant baned bob un. Gadawyd y cwpanau heb eu golchi.

Roedd y beic yn 'i fflio hi, yn ysgafn braf heb ei lwythi. Rŵan roedd y briffordd mor wahanol i briffyrdd yr hen fyd. Rhywbeth i'w osgoi a'i anwybyddu oedd y drafnidiaeth. Ni pharodd hynny'n hir chwaith. Roedd car heddlu wedi'i barcio ar arhosfan a dau ynddo, un yn smocio a'r llall yn drymian bysedd be gawn ni i'w wneud nesa ar y llyw. Roedd stumog yn cynhyrfu a'r hen fyd yn bygwth ond padliodd heibio mor ddi-hid ag y gallai. Ni chlywodd sŵn injan yn tanio ac osgôdd bob temtasiwn i edrych yn ôl. Ymhen rhyw chwarter awr goddiweddodd y car o yn ddirybudd a mynd ar ei hynt.

Roedd ganddo bapur gwag a beiro, a bonyn ffurflen gredyd y banc. Ar ôl gwenu'n ddiniwed roedd wedi cael amlen gan y banc hefyd, am ddim. Roedd yn eistedd mewn caffi yn pendroni uwchben y papur gwag a'i ddiod oren oer yn ei law. Roedd dynes wrth y bwrdd nesaf yn darllen ei phapur newydd ac yn gafael mewn cacen fechan hefo bysedd misi. Roedd y papur gwag o'i flaen. Mor hawdd fyddai sgwennu at Kate a Mos. Mor hawdd fyddai sgwennu at Teleri. Medrai sgwennu llythyr Annwyl Dad a Mam neu mi fedrai sgwennu brawddeg.

Rhoes y papur a'r bonyn yn yr amlen.

'Tybad ydi hynna mor greulon â dyrna a rhaffa?'

Cododd y ddynes wrth y bwrdd arall ei phen, a'r hanner cacen rhwng y bysedd misi bron yn ei cheg. Doedd dim ots ganddo fo oedd hi wedi clywed. Gorffennodd ei ddiod ac aeth i bostio'i fuddugoliaeth. Yna aeth i'r un ciosg â'r tro cynt.

*　　　*　　　*

'A chymryd 'i fod o'n deud y gwir,' meddai Kate.

'Roedd o'n rhy falch o gael deud 'i stori iddo fod yn ddim arall,' atebodd Moses.

Ffonio'i gilydd oeddan nhw am fod Moses newydd gael galwad.

'Ydan ni am ddweud wrthyn nhw?' gofynnodd Kate.

'Mi ffonia i nhw toc. Dw i am fynd.'

'I lle?'

'I chwilio amdano fo.'

Dim ond yr un sgwrs oedd yn dal i fod rhyngddyn nhw, yn y gegin, wrth y bwrdd, yn y gwely. Ddydd ar ôl dydd.

'Mae o'n sefydlog,' cynigiodd Moses i gryfhau'i ddadl. 'Yr un ciosg, yr un ddynas.'

'Mi gymrith hannar dy oes, y lob. Ac ers pa bryd mae hynny'n waith i ni prun bynnag?'

A doedd y geiriau hynny ddim gwahanol ar y ffôn i'r hyn oeddan nhw wyneb yn wyneb.

'Dim ond isio gwybod ydi'i wynab o'n deud yr un peth â'i lais o.'

106

'Sut wyt ti am gael gafael ynddo fo? Holi ym mhob tŷ a gofyn ydach chi'n ffantastig o ddynas?'

'Mi ddudodd rwbath am drwsio lôn, ond mi dawodd y munud hwnnw. Mae hynny'n rhyw fath o ddechra ella.'

'Ella bod 'na lawar o dai hefo tylla wedi'u trwsio y tu allan. Ella'i fod o y tu ôl i ryw stryd gefn yng nghanol tre, ne' bentra. Faint o waith chwilio wyt ti'n meddwl s'gin ti?'

Streipiau, briwiau, cleisiau. Roeddan nhw'n dal mor fyw ar ôl yr eiliad sydyn o'u dangos. Doedd o ddim yn meddwl fod posib cyfleu hynny.

'O'i nabod o, mi driwn ni'r wlad i ddechra,' meddai. 'Pa waeth fyddwn ni o roi cynnig arni?' gofynnodd eto fyth. 'Os gwelwn ni rwbath addawol, mi 'rhoswn ni i edrach. Ne' holi ar y slei ai gwraig weddw ne' hen ferch sy'n byw yno.'

'Pwy 'di 'ni'?'

'Rwyt ti'n gluo isio dŵad.'

Gwenodd Moses. Doedd hi ddim yn ceisio gwadu.

'Be tasa fo'n gweld y car?'

'Nid chwara cuddiad ydan ni.'

'A be wnawn ni os down ni o hyd iddo fo?'

Dyna'r hyn roedd o'n methu'i ateb bob tro.

''Di o'm ots am hynny rŵan.'

'Wyt ti wedi gadael i'r plismyn wybod 'i fod o wedi ffonio?' gofynnodd Kate.

'Naddo. Mi geith Heddwyn wneud hynny. Dechra colli diddordab y maen nhw prun bynnag. Maen nhw'n fodlon 'i fod o'n iawn.'

Hynny ydi, maen nhw'n fodlon 'i fod o'n gyfa, meddyliodd.

'Wyt ti ddim yn meddwl y bydd pobol yn 'i weld o'n beth rhyfadd bod rhywun sydd ddim yn perthyn iddo fo'n mynd i fwy o draffarth na'i deulu o i ddod o hyd iddo fo?' gofynnodd Kate.

'Does dim isio i neb ddŵad i wybod.' Hwnnw oedd y cwestiwn hawddaf o bob un. 'Prun bynnag, pobol heb weld cleisia ydi'r rheini.'

*　　　*　　　*

Erbyn noswyl roedd o bron wedi cyrraedd y tro.

'Ar ôl gorffan hyn mi beintia i ichi. A mae angan llnau'r cwt ieir hefyd.'

8

I will arise and go now, and go to Innisfree,

'Wyt ti ddim yn meddwl nad oes 'na ddigon o lefydd yn y wlad fach yma i ti fynd i'w gweld nhw, cyn i ti feddwl mynd am Werddon?'

And a small cabin build there, of clay and wattles made;

Draw, draw ymhell roedd lori goch yn tramwyo'i phrifffordd. Roedd eu sŵn i'w glywed weithiau. Yn llawer nes atyn nhw roedd bwncath yn hofran uwch cyrion coedlan, yn ôl ac ymlaen, i fyny ac i lawr, gan droi'n ymddangosiadol ddioglyd yn awr ac yn y man. Cyn hir roedd ganddo bartner yn is i lawr yn gwneud yr un peth. Doedd Emyr ddim wedi cael cyfle i fynd i fusnesa hyd y tir a'r coed eto.

'Deud y baswn i'n licio mynd yno ddaru mi,' atebodd, yr un mor wyliadwrus ar un wedd â'r ddau aderyn. Roedd o am ofyn i Gerda oedd ganddi sbenglas ond roedd pwnc y sgwrs yn gwahardd hynny braidd.

'A'r bwriad yn llond dy llgada di,' meddai Gerda a'i phendantrwydd terfynol arferol.

'Nac'di.'

'Ydi'n tad. Chdi 'ta fi sy'n gweld dy llgada di?'

Nine bean-rows will I have there, a hive for the honey-bee,

Wrth chwilota yn un o'r cytiau y noson cynt roedd o wedi gweld bwrdd budr cyfa. Daeth ag o allan a'i sgwrio, a'r tair iâr ddu'n ei wylio byliau. Aeth i'r dre ben bore a phrynodd dun farnais a phapur cras. Erbyn amser te roedd y bwrdd wedi'i sandio'n llyfn a glân ac yn barod i gael ei dair côt o farnais y gellid eu rhoi rhwng y pyliau o lenwi tyllau'r lôn. Rŵan roedd o'n fwrdd allan o flaen y fainc a phwt o lechan dan un troed i'w sadio, yn ddigon o fwrdd i ddau gael bwyd wrtho, a llian drosto rhag ofn staeniau newydd.

'Mae'r rhan bella 'cw o'r lôn yn edrach reit dda rŵan.'

'Paid â throi'r stori,' atebodd Gerda cyn iddo orffen bron. 'Mae gofyn i ti fod yn ofalus faint wyt ti'n 'i grwydro a sut wyt ti'n crwydro y dyddia di-ddal yma. Isio bod ar dy ben dy hun sy arnat ti 'te?'

And live alone in the bee-loud glade.

Taflodd Emyr friwsionyn dan big iâr nymbar thri. Wel, roedd o'n credu mai honno oedd hi. Roedd ei phig fymryn yn oleuach na'r ddwy arall. Llyncodd yr iâr y briwsionyn ar ei hunion a phigodd tuag ato am ragor.

'Dim felly,' atebodd ar ôl rhyw ystyried. 'Naci, ddim o gwbwl,' ychwanegodd.

'Thafli di ddim llwch i lygaid y beth fach, 'ngwas i. Dw i'n dy nabod di'n rhy dda.'

'Tri diwrnod.'

'Dw i wedi nabod y rhan fwya mewn tri munud.'

And live alone in the bee-loud glade.

Tridiau o gartra.

'Dw i ddim isio rhuthro o'ma.'

'Ddudis i ddim dy fod di.'

And I shall have some peace there, for peace comes dropping slow,

110

Mae arna i lot o waith i chi dim ond ar ôl tridia a mi gwna i o. Roedd arna i bum cant a hannar o bunna nesa peth iddyn nhw ar ôl pedair blynadd ar ddeg ac maen nhw wedi'u cael nhw ddoe. Rydw i'n sgwâr hefo nhw. Mi a' i i bori gwellt y cae 'na cyn dibynnu arnyn nhw eto. Dyna be 'di tridia. Dyna be 'di tridia hefo chi.

'Siarad fel medar rhywun dy gl'wad di, hogyn!'

Mor wahanol oedd cerydd anghofio'n syth bìn a cherydd rhagarweiniol. Mor wahanol y defnydd o'r bysedd a ddilynai'r naill rhagor na'r llall.

'Dw i'n licio yma'n iawn.'

Roedd brechdanau a chaws a ham ar y bwrdd, a phot o jam mafon dihadau i arbed ceg y beth fach o dan ei dannedd. Roedd tun ffrwythau a thun llefrith wedi'u hagor. Roedd cacan afal wedi'i gwneud y bore hwnnw a thorth frith. Picnic a hanner.

'Mi wn i dy fod di,' meddai Gerda.

'Sgynnoch chi ddim syniad mor braf ydi hi arna i rŵan.

Dropping from the veils of the morning to where the cricket sings;

Tro cynta rioed i mi . . .'

'Gorffan o. Na, paid â phoeni,' ychwanegodd ar ei hunion.

Roedd hi'n cymryd hydoedd i daenellu jam gofalus ar ei brechdan. Roedd Emyr bron wedi cael dam am wenu ar hynny hefyd. Ond doedd o ddim yn gwenu rŵan.

'Basdads.'

Roedd plygu'r frechdan hefyd yn grefft ynddi'i hun.

'Yr hyn 'dw i'n 'i ddeud ydi nad ydi'r ynys 'na yng nghanol Werddon yn rhan o dy gyfansoddiad di, fel

111

mae fa'ma i mi, yn nabod pob gwelltyn a phlanhigyn, y llesol a'r afiach, y rhai sy'n ffit i mi a'r rhai y basa'n rheitiach i'r diawlad arall 'ma'u llyncu. Ond os yr ei di yno, y cwbwl fydd yr ynys 'ma fydd lwmp o dir yng nghanol dŵr llyn, ac ella goedan ne' ddwy a mymryn o lwyni blêr arni hi. Lle mae hi?'

O leiaf roedd hwnnw'n hawdd i'w ateb.

'Lough Gill. Llyn Gill. Yn ymyl Sligeach.'

> *There midnight's all a glimmer, and noon a purple glow,*

'Pa ben?'

'I fyny'r ochor bella.'

'Mi fasa gofyn i ti groesi Werddon gyfa i gyrraedd yno.'

> *And evening full of the linnet's wings.*

'Does 'na ddim brys,' atebodd yntau ymhen ychydig. 'Mi gymris i bythefnos i gyrraedd yma.'

'Ha! Mi ddudis i dy fod di'n gluo isio mynd.'

> *I will arise and go now, for always night and day*
> *I hear lake water lapping with low sounds by the shore;*

'Nac'dw, nid gluo. Ond mi landia i yno rhyw ddiwrnod.'

Dyna ydi rhyddid. Dyna ydi cleisia'n mendio. Dyna ydi 'mhres i gen i a'u pres nhw gynnyn nhw.

'Gwnei, o gwnei.'

> *While I stand on the roadway, or on the pavements grey,*

Pwl arall o fwyta tawel.

'Ydach chi'n licio byta allan?'

'Hidia di befo am hynny. Ydi Yeats yn deud bod yr ynys 'ma'n rhan o'i gyfansoddiad o?'

'Dydw i ddim yn ych dallt chi rŵan.'

'Wyt, yn tad. Mae hiraeth bardd yn beth peryg. Yn enwedig pan mae o'n hiraeth gwneud.'

I hear it in the deep heart's core.

''Mond 'i licio fo ydw i.'

'Iawn felly, 'tydi? Gorffan y bwyd 'ma.'

'Dw i'n llawn.'

'Llawn! Gorffan o i fendio dy gleisia trymion. Mae gen i rwbath arall i'w ddangos i ti wedyn.'

'Hwn ydi'r tŷ llawna welis i rioed.'

'Ond mae 'ma'n dal i fod ddigon o le i ni'n dau 'toes?' meddai hithau yn y llais mwyaf rhesymol a glywodd Emyr eto.

'Chi sydd i ddeud hynny.'

'Paid â bod mor wastad, hogyn. Dydi o ddim yn dy natur di.'

Cododd Gerda yn araf fusgrell, a'i sadio'i hun am ennyd.

'Rŵan, tyrd rownd i'r cefn 'ma hefo fi.'

Aethant, ochr yn ochr, Gerda a'i chamau bychain fu unwaith yn frasach a phrysurach, yntau a'i gamau araf iach diarth. Heibio i dalcen y tŷ gorffennai'r trac mewn drws du llydan a chlo clap arno. Tynnodd Gerda oriad o'i phoced.

'Dyma ti. Agor y clo 'na.'

Agorodd Emyr o. Roedd o wedi bod yn pendroni rhywfaint beth oedd yno dan glo, ond dim ond wrth chwilio am baent y diwrnod cynt.

'Agor y drws. Dydi o ddim mor drwm â'i olwg.'

Agorodd y drws ar ei union.

'Waw!'

'A be meddat ti sy dan y plancedi gwlân 'ma?'

Roedd y llais yn gyfrinach i gyd ond doedd dim mwy amlwg dan haul. Roedd y fan fach a'i chefn at y drws.

'Chi pia hi?'

'A mae 'na lwynog coch yn 'i gwarchod hi.' Roedd y gyfrinach yn llond y llais o hyd. 'Dos i dynnu'r llwynog oddi ar y bonat yn gynta. Mi gei di dynnu'r plancedi wedyn.'

Dim ond y teiars oedd yn y golwg o dan y plancedi. Aeth Emyr heibio i ochr y fan ac i dywyllwch cymharol y pen arall, lle'r oedd yr oglau hen yn gymysg â phetrol ac oel yn gryfach.

'Wel am sleifar!'

'Hwnnw eto.'

Roedd boncyff hir ar fymryn o dro ar y blanced ar fonat y fan a chynffon llwynog, cynffon iawn, yn sownd yn un pen iddo. Ar binsh fe wnâi'r tamaid blêr yn y pen arall dafod. Roedd y ffroen a'r clustiau'n nes at argyhoeddi, yn fwy o bosib tasan nhw heb gael eu pwysleisio'n dunnell gan baent Gerda. Roedd llygaid a phawennau paent yn gorffen y greadigaeth.

Gofyn amdani.

'Boncyff wedi cael cynffon. Sleifar!'

'Boncyff! Be 'di'r addysg wag 'ma mae plant heddiw'n 'i chael?' Roedd hi'n brysio orau'i gallu tuag ato ac yn rhoi pwniad o gerydd dirmygus iddo yn ei fraich. 'Drycha'n iawn arno fo! Yli'i siâp tyn o. Yli'i dafod o. Yli'i llgada fo.'

114

'Lle cawsoch chi'r gynffon?'

'Guto Canol Rhos osododd drap. Mi fasa'n werth i ti weld 'i hen wynab creulon tew o pan welodd o'r ffocsyn yn gelain a'i gynffon o wedi mynd.'

Gofyn amdani. Awê.

'Tasa fo yn 'tŷ mi fasa'n beryg iddo fo fyta'r ceiliog ffesant.'

'Paid â chymryd petha difrifol mor ysgafn!'

'Sori.'

'A phaid â chwerthin am ben y beth fach bob munud!'

'Be 'di'r fan?'

'Tynna'r plancedi 'ma.'

Dyna oedd y gwahaniaeth. Dofi ar ei hunion.

'Bydd yn daclus!'

A thanio ar ei hunion.

Roedd bwrdd glân yn y gornel wrth drwyn y fan fach, bwrdd dal plancedi os bu un erioed. Tynnodd Emyr y blanced oedd ar y bonat.

'Waw! Hen fan A35!'

'Austin of England, yli.'

Roedd y bysedd tewion cynnes yn dilyn y sgwennu sownd crôm ar ochr y bonat oedd yn cadarnhau, a hwnnw erbyn hyn yn edrych yn llawer llai ffugurddasol nag yr oedd yn ei ddydd. Roedd y plancedi'n llithro'n esmwyth oddi ar y fan. Ond roedd yn rhaid i Emyr blygu pob un ar wahân cyn eu rhoi ar y bwrdd bach. Roedd y llygaid y tu ôl i'r sbectol drwchus yn astudio'i wirioni'n ddyfal ac yn methu cuddio'r balchder.

'Wel am sleifar! Mae hi fel newydd!'

Llwyd oedd hi o dan y sglein, llwyd goleuach fymryn na'r jersi gwddw crwn.

'Y goriad bach yma sy'n 'i datgloi hi a'r goriad bach yma'r wyt ti'n 'i roid i mewn yn 'i dwll cyn tanith hi. Heb hwn mi fyddi'n tynnu'r sdartar i ddim pwrpas yn y byd. Dos i mewn.'

Datglodd Emyr y drws, a'i agor. Eisteddodd ar y sedd goch lân. Roedd y glustog lwyd a du odano'n ei wneud yn rhy uchel a thynnodd hi. Bron nad oedd oglau newydd yn y fan o hyd. Roedd y tu mewn yr un mor lân a newydd â'r tu allan heb fymryn o ôl gwisgo ar ddim.

'Uffar gors!'

'Paid â rhegi medda fi am y canfad tro heddiw!'

'Tair mil mae hi wedi'i wneud!'

'Welis i rioed ddim yn y crwydro 'ma. Tasan nhw'n edrach dan 'u traed tlawd 'u hunain yn gynta. Wyt ti wedi ista y tu ôl i olwyn gyrru moto o'r blaen?'

'Dim 'u car nhw. Ond mi fydda i'n cael gwneud gan Mos. Mae o am adael i mi gael trei arni pan fydda i'n bymthag.'

Ond yr hen fyd oedd hwnnw.

'Wyddwn i ddim ych bod chi'n gallu drefio.'

'A phob un ohonyn nhw'n wnynllyd i mi, yn cega a sbeitio'r beth fach yn mynd hyd lôn ac yn taenu'u clwydda fel hada'r maes. Mi riportiodd Danial Canol Rhos fi i'r Polîs Ffôrs am 'mod i'n nadu i neb 'y mhasio fi medda fo, waeth o ba gyfeiriad yr oeddan nhw'n dŵad. Fo a'i dafod gwibar. Riportith o neb o'r lle mae o rŵan.'

Bob tro'r oedd yr enwau'n dod roedd Emyr yn dyfeisio wyneb a chorff i bob un, a chan fod pawb o'r un natur roedd yn anodd cael amrywiaeth. Ond rŵan roedd ei feddwl yn rhy brysur i chwilio.

'A phan aeth y beth fach i nôl negas mi gychwynnodd yr Austin of England a dyma'r sŵn rhyfedda glywodd neb erioed dani. Yr hen hogyn Tai'r Gongol 'nw, yr hen sgrimyn bach annymunol iddo fo.'

'Be ddaru o?'

'Tynnu'r gwynt o'r teiars. Pob un olwyn yn fflat a'r falfia dal gwynt wedi'u taflu dros ben clawdd. Mi ca' i di, medda fi. A mi chwerthodd a galw enwa arna i. Gweiddi'i hen enwa budron dros bob man. A'r lleill yn crechwan chwerthin hefo fo yn 'i glyfrwch a nhwtha ddim yn gweld 'mod i'n gwybod hynny. Ond stopio chwerthin ddaru hwnnw hefyd. Mae'i hen wynab creulon o'n ddigon hir y dyddia yma.'

Roedd y llyw mawr tenau'n dipyn gwahanol i un car Mos, a'r lifar gêr tal yn ddigri ac anodd o'i gymharu â stwcyn byr y llall. Daliai Emyr i wrando wrth astudio'r trysor newydd. Roedd o wedi amau rhywbeth arall hefyd. Mwya yn y byd yr oedd Gerda'n melltithio'i gelynion mwya yn y byd yr oedd o'i hun i'w weld yn plesio.

'Lembo,' meddai, yn gweld distawrwydd Gerda'n gorchymyn ymateb.

'Ond dal i sbeitio maen nhw. Wel dos di rownd yr Austin of England i edrach weli di un tolc crwn ne' un sgriffiad yn rwla. A dos i edrach ar 'u ceir nhw. Faint ohonyn nhw s'gin foto dros 'i ddeugian oed a hwnnw'n dal i fynd heb sôn am sgleinio fel hwn?'

Ond roedd y cwestiwn yn ei wadd ei hun.

'I be 'dach chi'n cerddad milltiroedd hefo'r bagia trymion 'na 'ta?'

'Chafodd y beth fach mo'i magu i fod yn ddiog. Ddim fel plant heddiw.'

'Dydi hynna fawr o atab.'

'Paid â bod yn bowld. Dwyt ti ddim yn ddiog chwaith. Rwyt ti'n dipyn gwahanol i'r lleill 'na.'

'Pam na iwsiwch chi hi i nôl negas?'

'Am bod 'na ormod o dylla yn lôn, yn un peth. Tyrd rŵan, mi rown ni'r plancedi'n 'u hola. Cofia'i chloi hi.'

Braidd yn anfoddog, ufuddhaodd Emyr. Ond roedd llygaid ar lygaid eto, a bysedd yn gwasgu wrth dderbyn y goriadau. Rhoddwyd y plancedi yn eu holau, yn ofalus fesul un, a gofalodd Emyr wneud yn ôl y gorchymyn a dal y llwynog yn un llaw a'r gynffon yn y llaw arall wrth ei roi'n ôl ar ei orseddfainc warchodol. Caeodd ddrws y cwt ar y fan a chloi. Roedd bysedd yn gwasgu wrth dderbyn y goriad hwnnw hefyd.

'Duw, panad arall.' Roedd haul diwedd pnawn yn gorchymyn hynny. 'Steddwch yn fanna.'

Dyna oedd mor odidog yn y rhyddid. Dim yn galw. Dim yn bygwth.

'A tasa'r lwmp yn byrstio a finna wrth yr olwyn mi allwn ladd rhywun diniwad.'

Roedd Gerda'n canlyn ymlaen â'r drafodaeth yn ddirybudd ar ganol ei phaned newydd. Roedd Emyr eisoes wedi dod o hyd i le i weddill y wledd ar y bwrdd allan.

'Dydach chi ddim yn dreifio rŵan, felly?'

'Paid â siarad hefo llond dy geg gwestiynog bob munud. Dim ond 'i bagio hi allan a'i symud hi'n ôl unwaith yr wythnos. Mae John Mur Calchog wedi deud wrtha i am wneud hynny, i'w chadw hi mewn trefn medda fo. Fory 'di diwrnod bagio. Mi gei di 'ngweld i'n gwneud.'

'Mi fydd y lôn yn iawn i chi unwaith y bydda i wedi gorffan y tylla 'ma.'

'Nid ar gyfar yr Austin of England mae hynny.'

'Y?'

'Paid â deud 'Y'! Mae o'n beth digwilydd. Ne' mi'r oedd o ers talwm.'

Roedd y gacan afal yn arallfydol. Ac roedd bagiau Gerda'n rhy drwm o beth mwdredd iddi.

'Mi fasa'n haws i lwmp fyrstio wrth i chi gario tunelli o fagia nag wrth ddreifio'r A35, siŵr.'

'Sut gwyddost ti, y doctor munud hwnnw?'

'Mae synnwyr yn deud.'

A'r gacan afal a'r tŷ a'r trugareddau a'r coed a'r bwncathod a phopeth yn ymbil.

'Dy synnwyr di ella. Wel nid ar gyfar yr Austin of England mae'r tylla'n cael 'u llenwi. Ar gyfar hers John Mur Calchog mae hynny, iddo fo gael dŵad â hi at drws tŷ yn lle'i fod o'n gorfod llusgo'r beth fach i giât lôn.'

Chafodd y lwmp arall ddim cyfle i ffurfio.

'Dw i ddim isio i chi farw. Am flynyddoedd.'

Damia unwaith. Fedrai o wneud dim â'i lygaid ond eu cadw ar y gacan afal yn ei law. Nid am fod ei fywyd newydd yn ddim ond tri diwrnod oed. Medrai fyw ar ei dent eto tasai raid. Ond roedd y syniad bod rhywun fel Gerda – rhywun fel y beth fach . . . Damia unwaith. Llwyddodd i godi'i lygaid. Draw ymhell roedd dwy lori'n dilyn ei gilydd o rywle i rywle. Daeth ei lygaid yn ôl ar ei gacen. Yna roedd yn edrych ar Gerda. Roedd hi'n edrych arno, a'i cheg fymryn yn agored. Roedd llygaid ar lygaid, llygaid yn syllu i ddyfnderoedd llygaid, a neb na dim arall yn berthnasol. Dim ond nhw ill dau.

'Tro cynta rioed i neb ddeud dim fel'na wrtha i.'

Llygaid ar lygaid a dim ond gwydr trwchus rhyngddyn nhw.

*   *   *

'Tro cynta rioed i neb ddeud dim fel'na wrtha i.'

Rhyw droi a throsi wrth y bwrdd oedd hi, rhyw symud pethau o un lle i'r llall, ambell blât, ambell lyfr, ambell sosban. Ond roedd hi wedi cael gafael ar lyfr arall. Cododd ei llygaid amheus yn sydyn a'i weld yn sgwario arni. Caeodd ddwrn a rhuthro ato, hynny o ruthro y medrai ei wneud.

'Glywist ti, y diawl?'

Doedd ganddo ddim i'w ddweud. Dim ond sefyll yno, yn edrych arni.

'Doeddat ti ddim yn gallu dŵad ar ein hola ni i wrando, oeddat ti? Ddudodd neb ddim byd fel'na wrthat ti yn dy fywyd anfad, naddo? Dim peryg!'

Roedd o wedi taro ar ei fatsh.

'Chdi a dy hen gynffon! Dos at dy Hilda, y sgreglyn! Sgweiar Tŷ Mwd!'

Roedd ei dwrn yn ei big, yn rhwbio.

'Mi siwtiat honno yn iawn yr hen bitsh iddi!'

Fedrai o ddim symud cam. Dim un cam o'i garchar difuriau. Am y tro cyntaf yn ei bum mlynedd ar hugain llonydd roedd poer yn glanio ar ei big. Diffoddwyd y golau arno.

'Un bach da 'di hwn.'

Roedd y golau wedi'i roi yn y llofft, fel y noson cynt a'r noson cyn hynny. Roedd o yn ei wely ers meitin. Ei duedd oedd ei rhoi hi i lawr a chysgu'n syth.

'Pwy fasa'n meddwl fod cwmpeini rhywun sy'n atab yn ôl hefo llais go iawn yn beth mor ddifyr?'

Roedd hi wedi mynd i eistedd yn y gadair fach wrth waelod yr erchwyn. Fel y noson cynt a'r noson cyn hynny, roedd y cwsg mor rhyfeddol o dawel, mor rhyfeddol o esmwyth.

''I gwsg o mor brydferth i'r beth fach.'

Roedd yr anadl o'r gwely'n anghlywadwy ysgafn. Roedd y clais ar yr ysgwydd yn y golwg, ond roedd o'n oleuach siŵr o fod.

'Cawn i afael ar y ddau 'na ddoth ag o i'r byd.'

Roedd y llaw'n gorffwys ar y gobennydd fodfedd neu ddwy o'r wyneb tawel a'r bwlch bychan naturiol rhwng y bawd a'r bysedd yn union fel y noson cynt a'r noson cyn hynny, fel tasai 'na'r un ffordd arall o gysgu.

'Mor fuddiol i'r beth fach.'

Roedd y gwallt golau'n naturiol flêr dros glust ac ar y gobennydd uwchlaw'r pen llonydd.

'Ac mae o'n weithiwr. Gweithio ffwl sbîd, cysgu ffwl sbîd. Yntê 'ngwas i?'

Roedd o'n llawer talach na hi. Plant heddiw. Roedd ei draed o'n cyrraedd gwaelod y gwely'n daclus.

'Rŵan, be mae o'n 'i weld yn y dyn 'ma 'dwch? Mae o yn hwn.'

Roedd y llyfr yn ei llaw. Crychodd y trwyn smwt ar fynegai yn ei ddechrau.

'William Butler Yeats.'

Rhoes flaen bys tew cynnes ar dafod fechan a'i lyfu. Trodd dudalennau.

''Sgwn i oedd o'n sgwennu pryddesta? Rheini'n haws i'w dallt. Oes gan y beirdd crand 'ma bryddesta sy'n beth arall.'

Lle cafodd o afael arni tybad. Yn yr ysgol, ella.

'Dyma hi, hefyd. 'The Lake Isle of Innisfree'. 'Ngwas gwyn i.'

Ysgydwodd y pen ar y gobennydd plu y mymryn lleiaf. Daliodd hithau anadl fer. Llonyddodd y pen. Daeth ei llygaid hithau'n ôl ar y llyfr.

I will arise and go now, and go to Innisfree,

Meiddiad nhw drio dod i'w gipio fo o oddi arni hi. Meiddiad nhw, y tacla. Toedd hi wedi diodda'u gwenwyn nhw 'i hun gydol yr adag? Ond dim byd fel hyn, chwaith. Dim byd fel hyn i gorff y beth fach. Roedd hi wedi setlo digon ohonyn nhw yn ei dydd ac mi wnâi hi eto. Roedd y pen mor dawel yn y gwely, y corff mor llonydd. Meiddiad nhw.

And live alone in the bee-loud glade.

O'i nabod o doedd fawr ryfadd 'i fod o'n licio'r gerdd. Roedd hi'n hoffus a syml. Ac eto . . .

'Ia, 'dwn 'im. Mae 'ma ryw fywyd newydd beth bynnag. Mae'r dydd yn mynd heibio lawar cynt.'

Dropping from the veils of the morning to where the cricket sings;

A phenderfyniad.

'Mae gan y beth fach ffansi byw am sbelan eto.'

Tasai dim ond i'w weld o'n mendio'n iawn ac yn cael ei lonydd i ddechrau gwneud rhywbeth ohoni.

There midnight's all a glimmer, and noon a purple glow,

'Mae 'na lawar o hiraeth yn hon hefyd.'

And evening full of the linnet's wings.

'Mae hi'n glafoerio gan hiraeth. Sgwennis i rioed hiraeth yn 'y mhryddesta, tasa 'na rywun yn gwerthfawrogi hynny.'

Ond nid dyna oedd ar ei meddwl. Os oedd ar y beth fach ffansi byw am ryw sbelan eto . . . Roedd yr enaid clwyfedig yn ei gwsg diddichell o'i blaen yn haeddu rhywbeth am ddallt mor handi ac am ei gyfeillgarwch newydd oedd mor annisgwyl, ac ella medrai hi drefnu hynny. Ond doedd hi rioed wedi meddwl am bethau felly.

'Mi adawa i'r llyfr yn gorad ar y bwr iddo fo. Sypreis fach pan ddeffrith o.'

I hear it in the deep heart's core.

A gadwch i'r beth fach gysgu i weld be fydd hi'n 'i feddwl ben bora oer am y sypreis fach arall y medar hi ella 'i rhoi iddo fo.

Dwy anadl ysgafn, un yn ferrach na'r llall. Llygaid yn gwylio cwsg, yn ei wylio o'r gadair fach ar waelod erchwyn y gwely. Am y tro cynta ers i John Mur Calchog fynd â Mam i lawr wrth din y Person Du roedd ganddi gwmni yn y tŷ, rhywbeth na ddychmygodd yn ei hoes y byddai'n ei ddymuno, heb sôn am ei werthfawrogi, heb sôn am ei groesawu. Câi hi afael ar y . . . Roedd ei lygaid mor glir pan oedd o'n chwerthin, mor wahanol i chwerthin y lleill. Eu heneidiau fagdduol nhw oedd yn eu gwep pan oeddan nhw'n gwneud eu twrw. Toedd hi'n gwybod o'r dechra cynta y byddai hwn yn dallt. Be wyddan nhw, a nhwtha rioed wedi gallu nabod?

Ymhen hir a hwyr, a'r cwsg prin yn bygwth, cododd yn araf o'r gadair fach. Cerddodd y camau bychan distaw at y drws. Rhoes ei bys ar y swits. Ond trodd yn ôl, a daeth y traed bychan at y gwely. Roedd dwy law yn ei gilydd wrth iddi sefyll yno yn edrych. Yna, yn araf, roedd bysedd bychan cynnes tewion yn cyffwrdd y talcen glân. Dim ond ei gyffwrdd. Trodd.

Trodd yn ôl. Daeth at y gwely drachefn, a phlygu. Yn araf, roedd ewyllys yn gorchfygu corff cyndyn ac roedd dwy wefus fechan lawn yn cyffwrdd talcen glân.

9

'Wyt ti ddim am ddŵad i dy wely?' gofynnodd Heddwyn.

Roedd peidio â chael ateb yn digwydd yn amlach. Un arall o'r degau o fân bethau oedd wedi newid oedd bod Dilwen wedi dechrau eistedd wrth y bwrdd yn hytrach nag ar y soffa, eistedd a'i chefn yn syth a'i dwy law yn ei gilydd a'u hochrau ar y bwrdd, yn symud dim, yn dweud dim. Braidd yn annioddefol oedd hynny gan Heddwyn. Ond fedrai o ddweud dim.

'Isio fo'n ôl dw i 'te,' meddai Dilwen toc.

Dim ond ar un wedd yr oedd ei llais yn fflat. O wrando, roedd yn fygythiol edliwgar. Braidd yn annioddefol oedd hynny hefyd gan Heddwyn. Tasai o'n anobaith fedrai o ddim gwahodd ffrae.

'Mi ddaw,' atebodd yn dynn, fel pob tro.

'Mi glywist be ddudodd o,' meddai Dilwen.

'Do, a phres yn llond 'i bocad.'

Roedd Emyr wedi ffonio gyda'r nos, a go brin bod angen gofyn ar anogaeth pwy. Hynny oedd yn lladd. Dim ond gofyn oedd y pres wedi'u trosglwyddo a dweud ei fod o'i hun yn iawn.

'Doro fis arall i'r rheini ddarfod i weld be fydd 'i gân o wedyn,' ychwanegodd, fel y troeon cynt.

Eithriad oedd i Dilwen wrando bellach. Roedd rhywbeth arall yn ogystal. Ar wahân i'r hagrwch newydd yn ei hwyneb a'r blerwch ehangach hyd ei chorff roedd mymryn o oglau weithiau. Picio yn ôl ac ymlaen i'r lein ddillad oedd ei hunig gysylltiad â'r allan fawr. Fo oedd yn siopa. Erbyn hyn prun bynnag roedd pawb fel tasan nhw'n falch nad oedd raid iddyn nhw ofyn oedd 'na newyddion neu be oedd yr hanes diweddaraf. Yn y gwaith, yn y Côr, yn y pyb, roedd Emyr yn prysur fynd yn angof, pan oedd clust Heddwyn o fewn cyrraedd beth bynnag.

Doedd dwylo Dilwen ddim yn llonydd ar y bwrdd rŵan. Roeddan nhw'n ffidlan hefo rhyw lyfr. Newid bach.

'Be 'di hwnna?' gofynnodd o yn y gobaith y câi ateb.

''I lyfr Maths o,' meddai hi yn y diwedd, bron yn anghlywadwy. 'Yn hwn roedd o . . .'

Hwn gafodd ei luchio hyd y gegin. Roedd ychydig o ôl hynny ar ei glawr.

'Yr ysgol pia fo,' meddai Heddwyn. 'Mi fydd yn rhaid . . .' ychwanegodd yn lob difeddwl.

'Dwyt ti ddim yn credu y daw o'n ôl,' meddai'r cyhuddiad fflat ar ei union.

'Ddudis i mo hynny,' atebodd o, beth yn amddiffynnol, beth yn ddiamynedd.

Roedd dalen rydd yn bygwth disgyn o'r llyfr.

'Be 'di'r papur 'na?' gofynnodd o.

'Hwn oedd o yn 'i ddarllan.'

Roedd hi'n gallu ei gyhuddo dim ond wrth ddweud pethau eraill.

'D'o weld.'

Roedd yn dipyn o waith peidio â chipio'r papur o'i dwylo. Rhyw ddiwrnod digon fyddai digon. Darllenodd.

'The Lake Isle of Innisfree.' Fel darllen tywydd. '*I will arise and go now, and go to Innisfree . . .* gogoniant!'

'Dw i isio fo'n ôl!'

126

Rhyw hanner sibrwd oedd hi. Rhoddodd Heddwyn y papur yn ôl yn y llyfr.

'Mi fasa 'Nhad wedi fy hiro i.'

Heb ymgynghori cadwodd y llyfr yn nrôr yr hanner dresal hanner cwpwrdd gwydr.

'Lle mae'r lle 'na?' gofynnodd Dilwen yn sydyn.

'Lle?' gofynnodd yntau.

Roedd y cwestiynau nad oedd yn llawn o'i barn hi amdano fo wedi mynd yn bethau prin.

'Yr Innisfree 'na.'

Eisteddodd Heddwyn yn ei gadair a hanner codi dwy law ddirmygus.

'Barddoniaeth ydi o 'te?' meddai'n chwyrn.

Pan aeth Emyr ar goll roedd yr hanes wedi bod ar y newyddion teletestun yn ogystal â'r rhaglenni. Roedd rhywbeth yn afreal mewn darllen ffeithiau ei deulu ei hun ar y sgrîn, ac amherthnasol rywfodd, fel tasai'r stori wedi'i darparu ers talwm a dim ond angen llenwi bylchau enw ac oed a chartref. Bellach roedd darllen sgriniau teletestun wedi mynd yn fath o hobi.

Roedd clep ar y drws. Heb yn wybod iddo roedd Dilwen wedi mynd allan i'r cefn. Rhythodd yntau ar ei sgrîn, yn derbyn geiriau ac yn darllen dim. Hawdd iawn oedd penderfynu ei bod yn bryd bellach dechrau darbwyllo Dilwen fod bywyd normal yn bosib heb Emyr. Roedd ymateb cydnabod yn waeth na'r golled, dyna'r gwir amdani. Nid yr ymateb wyneb yn wyneb, ond y llall. Ond ar y funud doedd dim dichon cynnig. Nid ar y funud chwaith, oherwydd gwaethygu'r oedd Dilwen. Byddai o'n dechrau yn llawn o ewyllys da ond buan iawn y darfyddai pob rhesymoldeb, a'r unig ddewis wedyn oedd ei chau hi'n dynn.

Neu fe allai wneud un cynnig arall. Ei chael i edrych arni'i hun i ddechrau, iddi weld y cyflwr yr oedd hi ynddo. Dim ond ychydig eiliadau o flaen y drych, ochr yn ochr. Yna darbwyllo tawel a charedig. Cydymdeimlad heb fod yn nawddoglyd, dealltwriaeth heb fod yn dadol. Gofyn iddi be tasai Emyr yn dychwelyd a'i gweld fel hyn.

Cododd ac aeth am y cefn ac yn ysgytwol ddirybudd roedd y gweiddi mwyaf uffernol dan haul.

Rhuthrodd allan.

Ella mai Dilwen oedd yn cwffio a Kate yn gwneud ei gorau i'w dal yn ôl. Roedd llaw chwith Dilwen wedi clymu am wallt Kate ac yn tynnu nes bod pen Kate at i lawr. Roedd ei dwrn arall yn taro wyneb, yn taro bronnau, yn agor ac yn tyrchu i wddw ac roedd yn amlwg mai dim ond greddf oedd ymateb carbwl breichiau a dwylo Kate. Gwaeddodd Heddwyn wrth ruthro at y clawdd a cheisio a methu llamu drosto. Ond roedd Moses yno o'i flaen, yn ymdrechu'n ffyrnig ac aflwyddiannus i wahanu'r ddwy. Trodd Dilwen arno fo a dechreuodd ddyrnu a chicio. Gwelodd Heddwyn o'n cael blaen esgid o dan ei ben glin nes gwelwi.

Ond llwyddodd Moses i'w gorchfygu cyn iddo fo gyrraedd. Roedd wedi gallu gafael yn dynn amdani i'w chlymu amdano. Hyd yn oed yn yr argyfwng sydyn roedd yn amlwg fod Moses yn dychryn o'i gweld. Allan yno yn yr ardd roedd hi bron fel dynes ddiarth, hyd yn oed i Heddwyn. Roedd hi'n dal i weiddi ac yn dal i stryglian. Wedi iddo gyrraedd fedrai o wneud dim ond sefyll, bron fel tasai ymyrryd y tu hwnt i grebwyll.

'Iesu! gafael ynddi hi wir Dduw!' gwaeddodd Moses.

Gwnaeth hynny, o fath. Roedd hi'n dal yn ffyrnig a chyndyn o ildio.

'Rho'r gora iddi,' ymbiliodd.

Doedd o ddim yn gweiddi. Os rhywbeth roedd ei lais yn cracio, fel tasai hyn yn rhywbeth roedd wedi laru arfer ag o. A thawelodd Dilwen. Gwthiodd Moses o'r neilltu heb edrych arno ac am y tro cyntaf ers hydoedd gafaelodd yn Heddwyn. Dim ond gafael, ond roedd o'n afael. Roedd hi'n dal i grynu ac yn dal i chwythu.

'Be wyddoch chi am blant neb?' meddai, a'i llygaid ffyrnig ar Kate a Moses bob yn ail. 'Pwy sydd isio barn neb na fedrodd fagu plentyn am fwy na phedwar diwrnod am ddiawl o ddim?'

Gollyngodd Heddwyn a cherddodd i lawr y llwybr. Trodd o at Kate a Moses, y ddau yn llonydd yn eu dychryn.

'Waeth i chi heb â deud mai ar ôl iddo fo ddengid yr agoroch chi'ch cega budron,' meddai.

Trodd, ac aeth ar ôl Dilwen. Roedd Kate a Moses yn llonydd, llonydd o hyd. Trodd atynt ym mhen draw'r ardd.

'Ac os daw o'n ôl mi gewch 'i gadw o.'

Pan gyrhaeddodd y tŷ roedd Dilwen yn llenwi'r bàth.

'Mi ddangosa i iddyn nhw, myn diawl,' meddai hi.

*   *   *

'Honna ydi'r boen leia,' meddai Kate.

Roedd Moses yn rhwbio bys ag eli fferyllydd ar ei flaen ar hyd y sgriffiad coch ar ei gwddw.

'Mae hi ar ben rŵan,' meddai o.

129

Daliodd i rwbio. Roedd y cryndod bychan drwy eu cyrff o hyd.

'Sut cymrodd hi gymaint o amsar inni'u nabod nhw?' gofynnodd wedyn.

'Ddaru hi?' gofynnodd hithau.

'Ella ddim.'

Dim ond wedi crynu yn ei gilydd oeddan nhw. Cyd-ddiodda, cydgofio. Wedi iddyn nhw gyrraedd y tŷ hi oedd wedi cael y gwaith cysuro mwyaf. Roedd y dillad yr aethai i'w nôl oddi ar y lein droi yn bentwr blêr ar lawr y gegin fach. Byddai angen ailolchi'r rhan fwyaf. Tasai hynny o bwys.

'Rydan ni'n mynd o'ma,' meddai Moses yn sydyn.

'Be?'

'Mudo.'

'Arglwydd mawr!'

'Faint bynnag o oes s'gin i ar ôl, deugian munud ne' ddeugian mlynedd, dydw i ddim yn bwriadu'i threulio hi fel hyn.'

'Dydi bod yn fyrbwyll o ddim help,' meddai hi, ar goll.

'Nid dyna ydi o. Maen nhw'n feddylia cudd gen i ers pythefnos beth bynnag.'

Eiliad o ddistawrwydd.

'Heno ddigwyddodd hynna,' meddai Kate, 'nid bythefnos yn ôl.'

'Faint o syndod oedd o?'

'A lle fydd y tŷ newydd 'ma?' gofynnodd Kate ar ôl ysbaid hir o dawelwch nad oedd angen ei dorri.

'Waeth gen i.'

Newydd ddechrau oedd y boen o dan ei ben-glin. Mwythodd hi.

'Bitsh fach!'

'Mae'n debyg y bydd 'na stafall sbâr yn y tŷ 'ma, lle bynnag y bydd o,' meddai Kate ar ôl tawelwch arall.

'Bydd. Ne' mi fedrwn ni adael pob dim ar ein hola i gartra cathod ne' nithoedd cnebryna.'

Mae'r ddau wrthi, Mos.

'Lle bynnag y basan ni'n mynd, mi fasa'r rheswm dros fynd yno'n llywodraethu pob dim bob dydd,' meddai Kate wedyn.

'Na fasan. Unwaith y basan ni'n setlo a heno'n pylu.'

Cododd Kate, ac aeth i'r cefn. Arhosodd Moses ar y soffa, yn mwytho'i ben-glin a rhegi'n dawel ddi-stop. Cyn hir, o glywed dim ond distawrwydd o'r cefn, cododd a mynd yno. Roedd Kate wrthi'n aildrefnu'r dillad.

'Wel?' gofynnodd o.

Rhoes Kate y gorau i'r dillad yn ebrwydd a brysio *quick* ato.

'Tyrd i'r gwely,' meddai, 'a gafael yn uffernol o dynn yno' i.'

*   *   *

Plygain cynnes, a chorff bychan araf yn codi i'w gyfarch. Llaw dew yn chwilio ac yn dod o hyd i sbectol ac yn ei rhoi. Agor hen lenni bregus a gollwng modfedd ar bwt o ffenest. Gwisgo amdani'n ymdrechol ddi-sŵn. Llaw dew yn tyrchu mewn gwydryn ac yn tynnu dannedd ohono, yn sgrytian y dŵr oddi arnyn nhw a'u rhoi yn y geg. Damio'r briw dan y dannedd didostur. Agor drws y llofft yn dawel. Troi goriad trwm yn ofalus ac agor y drws allan led y pen i'r bore a'i ryfeddod. Agor i'r tair iâr ddu. Mynd ar flaenau traed hen bychan ac agor drws arall. Camu'n dawel i'r llofft. Llaw fechan ar dalcen cynnes.

'Ngwas gwyn i.'

Bys bychan tew yn mwytho gwallt golau heb ddim ond prin ei gyffwrdd. Llygaid yn archwilio clais ac yn bodloni. Gwefusau hen araf yn dod i lawr ac yn gorffwys ennyd ar dalcen glân.

'Ngwas gwyn i.'

yn rhoi-s su ngoi svawa illao ied yoben ya bog a
tyrddiod Agbu te iuu iui ndua Mrnd ar flauau uud
herwycham aesuup siro saell ?'uuo i duuwd i lloti
Llaw foeham ar dulcen eoa

10

'Rhega di un waith eto yng ngŵydd y beth fach a mi
wna i chdi symud toman dail yr ieir duon fesul rhawiad
drom i ben draw'r cae 'na!'

'Dreifio? Uffar gors! Ydach chi o ddifri?'

'Mae isio i ti ddysgu a gora po gynta.'

Roedd yr A35 allan, allan yn y cae bach o flaen y tŷ.
Roedd y trwyn smwt ryw hanner ffordd rhwng y llyw
a'r ffenest flaen wrth ddod â'r fan o'r cwt i'r cae a'r geg
fechan bron yn llydan agored odano. Roedd Emyr wedi
rhyfeddu gormod i chwerthin.

Roedd o'n gwybod hanfodion tri phedal troed a
phrun oedd prun. Ac er bod y tri hynny bron yn rhy lân
i'w cyffwrdd, aeth ati'n frwd i gyd nes bod yr A35 yn
neidio'n herciog ac ebrwydd i lonyddwch a distaw-
rwydd ac yntau'n credu'n sicr a'r un mor ebrwydd bod
y trysor yn rhacs.

'Cym bwyll, hogyn! Deud yr un peth o fora tan nos
ddydd ar ôl dydd!'

Ond erbyn amser cinio nid yn unig roedd o o naid i
naid ac o sgrytiad i sgrytiad wedi lled-feistroli'r
berthynas rhwng y pedalau glân ond roedd o hefyd yn
llwyddo i gychwyn ar y llethr bychan ar ganol y cae
heb i'r fan fach fagio, diolch i'r cyfarwyddiadau pigog
a gâi eu gweiddi i'w gyfeiriad o'r adwy.

'Ddaru ti ddim dychmygu y basat ti'n dreifio moto
heddiw, naddo?'

'Nefi, naddo.'

Roedd becyn ac ŵy 'di ffrio a bîns y bwrdd cinio gorlawn yn dipyn mwy blasus nag arfer.

'Wyt ti'n mwynhau gwneud?'

A'r llygaid y tu ôl i wydrau'r sbectol yn methu cuddio'r awch am yr ateb.

'Sleifar.'

'A dw i wedi gadael 'y ngeiriadur ar f'ôl i ti hefyd.'

'Y?'

'Paid â deud 'Y'! A gorffan y bechdana menyn 'ma.'

Roedd y lleill yn cael eu cinio ysgol.

'Dw i'n dechra dallt y petha rŵan.'

Roedd y lleill yn cael eu cinio ysgol ac yn anghofio am eu llyfrau. Ac ella'i bod hi'n arholiadau. Roedd llyfr Gerda yn ymyl y plât o'i flaen.

'Dal di i fynd rownd y cae ar ôl cinio i chdi gael arfar hefo'r llyw a newid gêr a stopio'n daclus,' meddai Gerda. 'Mae 'na ddigon o betrol yn 'i thanc hi, a thun pum galwyn yn cwt.'

'Dw i ddim yn plycian wrth newid gêr rŵan chwaith.'

Ond roedd ei sylw bron i gyd erbyn hyn ar y llyfr. Roedd wedi rhoi'r gorau i fwyta.

'Gofala di nad ei di'n uwch na gêr nymbar dau ne' mi fyddi di'n gyrru gormod. Nid ar dy feic gwyllt rwyt ti rŵan.' Doedd Gerda ddim wedi sylwi bod plât Emyr ar stop. 'Wedi i ti arfar digon a dysgu bagio yn rifŷrs gêr mi gei fynd ar hyd y lôn at y giât. Gorffan dy fwyd cyn iddo fo oeri!'

Aeth fforc yn beiriannol ar blât.

'Dw i wedi gwneud hyn hefo deryn,' meddai Emyr, a gwên fechan darganfod ar ei wyneb.

'Be?' gofynnodd hithau.

''R hyn mae Yeats yn dymuno'i wneud i'r wiwar.'

'Be s'gin ti rŵan?'

'Hon. To a Squirrel at Kyle-Na-No. Come play with me . . .'

'Sgwiral yn lle?' gofynnodd hithau'n siort ar ei draws.

'Kyle-Na-No. Mae hi'n un dda.'

Dim ond gwrando, ac roedd y llais hudolus a'i tynnodd am ennyd o'i brofedigaethau yn ei lofft yn eu tŷ nhw a mynd â fo i Inis Fraoigh yn llefaru hon wrtho hefyd, yr un mor hudolus. Dim ond iddo fo wrando.

> Come play with me;
> Why should you run
> Through the shaking tree
> As though I'd a gun
> To strike you dead?
> When all I would do
> Is to scratch your head
> And let you go.

A rywfodd roedd o'n fwy addas yma yn nhŷ'r hen hen ddynes nag yn y llofft yn y tŷ arall.

'Ia. Hm,' meddai Gerda, yn rhyw nodio ar ôl gwrando'n ddyfal ar bob gair. 'Mi fasat feddwl y bydda fo wedi chwilio am well gair na hwnna am roi mwytha.'

'Lle mae Coill na gCnó?'

'Be wn i, hogyn? Be dw i 'di'i ddeud am y crwydro 'ma? Gorffan dy fwyd.'

'Mi chwilia i. Mi ddalis i nico mewn trap briga eithin a rhoi mwytha iddo fo. Mi gymrodd fwyd o 'llaw i, a phan gollyngis i o mi aeth rownd un waith a dod yn ôl i'r gangan uwch 'y mhen i. Fedrach chi ddenu wiwar goch felly?'

'Lle cei di wiwar goch y dyddia di-feind yma?'

'Werddon.'

'Ha!'

'Ella bydd 'na rai'n cael 'u dychwelyd hyd y partha yma cyn hir prun bynnag,' meddai yntau fymryn yn frysiog.

'Gan bwy, a be wyddan nhw? Rwyt ti'n chwerthin am ben y beth fach rŵan!' ychwanegodd hi'n sydyn fygythiol.

'Nac'dw.' Ond roedd yn gwenu'n llydan braf. 'Pam ydach chi'n sgwennu cymaint yn y llyfra 'ma?'

Dim ond agor unrhyw un o ddegau o lyfrau Gerda ac roedd y sgwennu mân cam yn blastar hyd y lle. Hollol ddidrefn, ar draws, ar hytraws, at i fyny, at i lawr, ambell dro ar draws y print.

'Waeth i mi iwsio fanna ddim,' meddai'r llais rhesymol main.

'Mae pob marjin a phob man wedi'u plastro gynnoch chi. A does 'nelo be 'dach chi wedi'i sgwennu ddim â be sy yn y llyfra.'

Pob math ar negeseuon a sylwadau, rhifau ffôn, ambell gyfeiriad, prisiau, ffigurau heb ymhelaethiad iddyn nhw, popeth. A doedd o heb weld yr un oedd y mymryn lleiaf yn berthnasol.

'Pam nad iwsiwch chi lyfr sgwennu?'

'Maen nhw yna i'w llenwi 'tydyn?' Y rhesymoldeb eto. 'Llefydd gwag, penna gwacach.'

'Ydi pob un o'ch llyfra chi'r un fath?'

'Fwy na heb.'

136

Roedd Emyr a'i drwyn yn y llyfr eto, yn ailddarllen.

'Rwyt ti'n ffond iawn o hwn 'twyt?' gofynnodd hithau, a rhyw awgrym yn llenwi'i llais.

'Ydw. Dydw i ddim yn 'u dallt nhw i gyd chwaith.'

'Dw i wedi ffonio tra buost ti'n dysgu dreifio bora 'ma. Ddylis i rioed bod petha cyn hwylusad.'

'Be 'dwch?' gofynnodd o, yn tynnu'i sylw oddi ar y llyfr am eiliad.

'I fynd i Werddon yn yr Austin of England.'

Y fath gyfrinach. Fedrai Emyr wneud dim ond rhythu.

'Dim ond cyrraedd Caergybi sydd isio a phrynu ticad yn roffis.'

Y fath gyfrinach. Y fath gyfeillgarwch. Y fath fêts.

'Liciat ti hynny?'

'Nefi Job!'

Nodiodd y pen bychan ei fodlonrwydd ar yr ymateb cegrwth o'i flaen.

'Dyna pam rwyt ti'n cael dreifio. Tasa'r beth fach yn mynd yn sâl yng nghanol Werddon mi fedrat fynd â mi i'r lle 'gosa i gael doctor.'

''Dewch chi ddim yn sâl siŵr,' meddai yntau ar frys.

'Tasa, ddudis i. Mae lonydd Werddon mor wag meddan nhw.'

'Dydi'r lonydd mawr ddim. A phrun bynnag . . .'

Tawodd. Cofiodd am y ffôn a'r ddesgil. A fo doeth.

'Fydda i byth yn mynd ar hyd yr hen betha hynny,' meddai Gerda. 'Mi fydd yn rhaid i ti gael map i fynd ar hyd y lonydd erill. A mi fyddai'n well i ni fynd â dy feic di hefo ni rhag ofn i rywun dorri i mewn yma a'i ddwyn o.'

'Tasach chi'n mynd yn sâl mi fedrwn fynd ar y beic
i chwilio am help,' meddai o a dechrau difaru'r awgrym
yr un munud.

Ond doedd dim angen iddo.

'Cym di'r ofal â gadael y beth fach ar 'i phen 'i hun
mewn lle felly. Dysga di ddreifio.'

'Mae gen i bres. Mi dala i am y trip.'

Mi dynna i bres o 'nghownt. Fedran nhw byth fy
stopio i . . .

'Fydd gen ti ddim cwilydd cerddad hyd stryd hefo
fi, na fydd?' gofynnodd Gerda'n sydyn.

'Na fydd siŵr!' atebodd horwth o wfft. 'Pam?'

'Hogyn Hilda 'nghneithar yr hen bitsh iddi hi. Mynd
â hwnnw i Dre. Fynta'n cerddad lathenni o 'mlaen i fel
tasa 'na ffin dwy wlad rhyngon ni a'i wynab o fel
bitrwd Guto Canol Rhos. A phan ddaethon nhw ag o
yma, ddôi o ddim pellach na charrag 'drws. Y llipryn
bach annymunol iddo fo.'

Hen, hen ddynes yn ei du ochr yn ochr â hogyn
hefo'i feic llwythog a'i grys-T coch glân a rhychiog o
ddiffyg smwddio a'i jîns llwyd. Ochr yn ochr, un yn
siarad, y llall a'i ben at i lawr yn malio dim be oedd
busneswrs gythral yn ei wneud o'i ddagrau.

''I gollad o oedd hynny.'

Y peth mwyaf naturiol dan haul. Hen, hen ddynes
yn ei du ochr yn ochr â hogyn yn ei wallt golau a'i feic
llwythog a'i grys-T coch glân a rhychiog a'i jîns llwyd.
Ochr yn ochr, un yn siarad, y llall yn edrych yn eiddgar
o'i gwmpas ar ei amgylchfyd newydd diarth a phob
cam yn mynd â fo ymhellach a mwy terfynol o hen fyd
ac yn nes a nes at nabod.

'Llond lle o nialwch a hen betha, medda fo,'

138

meddai'r wyneb sur gyferbyn. 'Be wydda fo am betha'r beth fach, a'r sgrimach bach wedi gallu gwneud dim erioed ond pigo'i drwyn a chwara marblis? Ofn oedd arno fo, ofn dŵad i mewn am 'i fod o'n gwybod 'mod i wedi'i nabod o. Mi wyddwn i ar y ffor roedd o'n edrach arna i. Fo a'i hen betha.'

Roedd y cwestiwn hollol honco'n ei wadd ei hun.

'Fyddwch chi byth yn cael petha newydd?'

'Mi fuo gen i bresiar cwcar,' dyfarnodd hithau ar ôl eiliad fer o ystyried. 'Crusmas Bocs gan John Mur Calchog. Mi rois i datws yn'i hi a'r munud nesa roedd y cythral yn sgrechian dros 'tŷ fel sgrechiada pwll uffarn a mi lluchis i hi.'

'Honna sydd yn y gongol yn cwt talcan?'

'Fan'no mae hi? Y cythral iddi!'

'Mi triwn ni hi eto, os liciwch chi. Ella'i bod hi'n dal i weithio.'

'Cym di'r ofal! Sut gwyddat ti 'i bod hi yn fan'no prun bynnag?'

'Chwilio am baent o'n i. Mae 'na dun yno ond mae o wedi cledu. Mi bryna i dun newydd.'

'Mae gen i hen ddigon o bres i gael tun paent ac i fynd â ni'n dau i'r Werddon, paid ti â phoeni.'

'Pryd ydan ni'n mynd?' gofynnodd yntau.

Llygaid ar lygaid. Dyna'r pryd y sylweddolodd fod popeth mor iawn, nad oedd Gerda'n ei drin fel lojar, nad oedd arni isio'i drin fel lojar. Roedd campio'n iawn, dim ond fod gormod o bobol fel Josgin Wich o gwmpas. Roedd yn dda iddo weld trwy hwnnw. Doedd 'na neb yn dod yma i fusnesa, a chaent fynd pryd y mynnent. Llygaid ar lygaid yn cadarnhau.

'Mi gawn ni weld sut bydd y dreifio,' meddai hi. 'A sut bydd y gwenoliaid yn hedag.'

Aeth Gerda o gwmpas ei phethau. Aeth yntau allan. Wrth fynd drwy'r drws clywodd nad oedd o am gael dod hefo ni y diawl a swn poer. O'i flaen sgleiniai'r A35 yn barod amdano. Symudodd iâr nymbar wan and e hâff o'r ffordd iddo gael agor y drws. Aeth fel hen law i'r sêt dreifar. Roedd y lleill yn yr ysgol. Trodd y goriad a thynnodd y startar a thaniodd y fan ar ei hunion. Rhoes hi yn ei gêr, pwysodd fymryn ar y throtl, cododd y clyj yn araf a gollyngodd y brêc yr un pryd. Symudodd y fan yn esmwyth ac ufudd. Cyflymodd fymryn, a newidiodd i gêr nymbar dau. Ufuddhaodd y fan fach yn esmwyth. Hen law. Roedd y lleill yn yr ysgol.

Ddiwedd y pnawn, golchodd yr A35 heb anogaeth. Plesiodd hynny gymaint nes iddo fo'i hun gael mynd â hi i'w chwt. Dyna beth oedd ffydd y beth fach.

11

'Dau for a punt! Cheap diawledig!'

Roedd blas felly arnyn nhw hefyd braidd. Doeddan nhw ddim cystal â ffrwythau siop. Roedd Emyr wedi mentro afal o'r stondin. Digon peth'ma oedd o a medrai gymryd yn ganiataol mai rhywbeth yn debyg fyddai'r basgedi mefus yr oedd y stondinwr yn gweiddi'u rhinweddau dros y lle. Roedd wedi mynd â llwyth o ffrwythau o siop yn anrheg iddyn nhw'u dau o'r Dre y tro cynt, a dyna a wnâi heddiw hefyd.

Daethai i'r Dre ar ei thrawiad hi yn un swydd i brynu siorts. Dim ond un pâr a ddaethai hefo fo o'u tŷ nhw ac roedd o wedi rhwygo'r rheini y noson cynt wrth ddringo clawdd ac yn gweld eu colli eisoes. Roedd jîns a chyffelyb yn iawn yn eu lle, ond nid ar ddiwrnodau poeth. Prynodd ddau, un mewn siop chwaraeon a'r llall mewn siop ddillad, ac aeth am dro o gwmpas y farchnad.

Doedd yr un twll ar ôl yn y lôn rhwng y giât a'r tŷ a heb yn wybod i'r beth fach roedd yr A35 wedi cyrraedd gêr nymbar tri wrth ei thramwyo. Roedd lle troi'n ôl o dan y giât, diolch am hynny; tasai o'n mynd i'r lôn i droi mi fyddai'r lle yn llawn plismyn o nabod ei lwc o. Ond wedyn, yr un lwc ddaeth ag o i'r gwrthdrawiad yn gynta un, ac felly rhan o'r hen fyd pell hwnnw oedd cwyno am hynny debyg.

'Strawberry day today! Down by the river-side! Sud wt ti boio?'

Dychrynodd Emyr am ei fywyd. Roedd cyfarchiad y

gwerthwr ffrwythau'n rhan o'i gân unlinellog ac roedd yn edrych yn syth i'w lygaid, ella wedi anghofio'i fod newydd werthu afal iddo. Doedd yr hen fyd ddim digon pell i gyfarchiad diarth. Roedd o'n tynnu sylw ac roedd pen neu ddau'n edrych arno fel tasan nhw'n disgwyl am ateb neu fel tasan nhw'n amau neu fel tasan nhw'n gwybod. Dyma fo o'r diwedd, cyhuddodd eu llygaid.

'Iawn,' mwmbliodd.

Trodd ei olygon draw, trodd ei gorff draw a dechreuodd wagsymera'n ffughamddenol ac yn ddigon ymwybodol i'w stumog droi. Cerddodd heibio i stondinau, heb edrych arnyn nhw. Roedd yn teimlo'r cyhuddwyr mud yn ei ddilyn fel ysbrydion mewn ffilm Merica ac roedd o'n barod am ddwylo hegar awdurdod ar ei sgwyddau cyn pob cam nesaf. Trodd gornel ac roedd Mos yn cerdded yn syth tuag ato.

Ond doedd Mos ddim yn edrych yn syth o'i flaen. Chwilio stondinau wrth fynd heibio roedd o. Roedd un olwg yn hen ddigon i ddallt hynny. Mewn chwinciad roedd Emyr wedi troi'n ôl ac yn prysuro rownd y gornel. Gwyddai mai lladron dwl oedd yn rhedeg trwy farchnad ac osgôdd y demtasiwn. Gwelodd le rhwng dwy stondin a stwffiodd drwyddo.

'Hei!'

Rhyfedd mor waharddedig yng ngolwg stondinwyr oedd unrhyw fodfedd heblaw'r llwybrau awdurdodedig. Dyn cyrtans oedd hwn, ac roedd gweiddi'n anhepgor. Anwybyddodd Emyr o a stwffio ymlaen rhwng cynfasau a thros focsys nes cyrraedd y stryd nesaf o stondinau.

Be rŵan? Amser i ystyried, ond doedd hwnnw ddim yn bod. Ac roedd gwaedd flin arall o gyffiniau'r

cyrtans a phen Mos yn ymddangos rhwng y ddwy
stondin a'i lygaid yn chwilio'n wyllt. Sleifiodd Emyr i
ganol stondin ddillad agored ac ymguddio rhwng dwy
res o ddillad lliwgar. Roedd yn rhaid iddyn nhw fod yn
ddillad merched siŵr Dduw. Chwiliodd panig ei lygaid
am ddillad eraill ond stondin ferched oedd hi o un pen
i'r llall. A dim ond fo oedd ynddi. Dyna'r cyflog am
gyrraedd y farchnad yn rhy fore. Dyna'r cyflog am
ddod yno o gwbl ac yntau'n gwybod yn iawn nad oedd
arno isio dim ond busnesa.

'Chwilio am bresant pen-blwydd i Nain,' cynigiodd
wrth y llygaid amheus uwch ei ben, a gafael yn betrus
mewn ffrog yn flodau drosti.

'Peez off!'

'Mi a' i i rwla arall 'ta. Mae 'na ddigon o ddewis.'

'Off! Off!'

Siŵr Dduw bod yn rhaid i'r dyn diamynedd godi'i
lais. Prysurodd Emyr i flaen y stondin a'i gluo hi.

'Emyr!'

Roedd o'n ddigon pell ar binsh i gymryd arno nad
oedd yn clywed. Hyd yn oed yn ei argyfwng roedd
hynny'n bwysig, oherwydd doedd o ddim am ddangos
i Mos ei fod yn ei anwybyddu nac yn dengid rhagddo.
A'r hyn a aeth drwy'i feddwl yr un munud oedd mai
dyna'r tro cyntaf iddo glywed ei enw'i hun ers yr hen
fyd. Doedd Gerda byth yn rhoi enw iddo, dim ond
enwau. Roedd pobl rhwng stondinau a phrysurodd i'w
canol a thrwyddynt. Dewisodd y prysuraf o ddau lwybr
o'i flaen. Daliai i glywed ei enw. Daliodd i brysuro.
Unwaith y byddai allan o'r farchnad fedrai o byth
gymryd arno nad oedd yn clywed yr un waedd cyn
cyrraedd ei feic. Felly roedd yn rhaid iddo fynd ar goll

yn y farchnad yn gyntaf. Dyna gyflog busnesa. Clywai lais y beth fach yn rhoi ei dyfarniad am hynny a phethau o'r fath.

Tua'r un oed â'i dad oedd o. Fengach, ella. Roedd ganddo wallt du hir a sgwyddau llydan mewn crys-T oren uwchben jîns glas golau. Roedd ei lygaid duon yn synnu ac yna'n nabod wrth iddo ddynesu.

Uffar gors. Rhwng dwy gynfas eto amdani, ac anwybyddu pob rheg. Chwiliodd. Gwibiodd ei lygaid o'r naill ochr i'r llall, a phanig yn cynyddu, fel pob panig. Doedd yr un llwybr answyddogol ar gael.

O'r gora 'ta. O'r gora 'ta. Be arall oedd rhyddid? Rhoddodd ei law yn ei boced a thynnodd ei arian allan. Roedd ganddo dri papur deg a dau bump. Ar ôl eiliad fer o fuddugoliaeth roedd y llygaid duon yn mynd yn ansicr o'i weld yn dal i ddynesu a'r braw a ddaeth mor ddisymwth i'w lygaid o'i hun yn diflannu. Rhoes bymtheg punt yn ôl yn ei boced. Ddaru o ddim arafu, dim ond stwffio dau bapur deg ac un papur pump heb blygiadau yn eu corneli i law annisgwyl.

'Mi fedran ni'n dau wneud yn iawn heb ych pres chi.'

Ac roedd wedi mynd.

'Tomatos! Fifty ceiniogs!'

'Emyr!'

Doedd Mos ddim yn y golwg, ond roedd ei waedd yn uwch. Roedd wal frics y tu ôl i'r stondin ffrwythau. Braidd yn uchel, ond Duw Duw.

'Two for a . . . Hei! Come back, diawl bach!'

Ac ar ei fol ar ben wal frics hegar a dau bâr o siorts newydd mewn bag plastig yn ei afael tynn a phymtheg punt crebachlyd yn ei boced, ffarweliodd â'r farchnad.

Cafodd gip ar ddwrn difygythiad dyn ffrwythau. Cafodd gip ar wallt hir du a sgwyddau llydan yn y cefndir a'r llygaid yn syllu arno. Disgynnodd ar goncrit tyllog. Rhedodd at giât yn y pen draw a dringodd drosti. Roedd ei feic gerllaw, wedi'i gloi i ffens. Datglodd o a'i phadlo hi am ei fywyd.

*   *   *

'Sut wyt ti'n meddwl y medar rhyw gybyn pymthag fel chdi daflu llwch i lygaid y beth fach?'

'Dydw i ddim yn bymthag.'

'Paid â throi'r stori bob munud!'

'Dydw i ddim. Y deuddegfad o Ragfyr . . . Hei!'

'Be rŵan?'

'Cha i ddim presant pen-blwydd na chardyn leni. Blydi grêt! Blydi sleifar!'

'Rhega un waith eto!'

'Sori.'

Roedd siorts yn mynd yn well hefo cinio ar y bwrdd allan. Roedd o wedi newid iddyn nhw y munud y cyrhaeddodd yn llawn chwys a chuddio'r beic o dan hen blanced yn y cwt. Ond doedd o ddim wedi gallu cuddio'i lygaid rhag Gerda.

'Rŵan, deud! Be ddigwyddodd tua'r Dre 'na?'

'O'r gora.'

A dywedodd y stori i gyd. Doedd dim pwrpas cuddio dim rhagddi hi prun bynnag. Gerda oedd hon. A chyn bwysiced, mân betheuach yr hen fyd oedd cyfrinachau. Rŵan roeddan nhw'n bethau mor chwerthinllyd. Tywalltodd ei stori. Roedd Gerda wedi stopio bwyta ac yn gwrando'i henaid ar bob gair.

'Cawn i afael arno fo . . . Faint o weithia mae isio deud wrthat ti am beidio cymryd pres gan hen ddynion?'

'Ddudoch chi ddim o'r blaen.'

'Paid â bod mor bowld hefo'r beth fach! Rhyw hen ddyn felly'n peuan am roid 'i hen fysadd modrwyog hyd dy gorff ifanc di. Be oedd ar dy ben di'n cyboli dim hefo fo?'

'Dim ond i ddangos y medrwn i edrach ar f'ôl fy hun.'

'Hy!'

'O'r gora. Do'n i ddim mor ddewr yn y diwadd.'

'Paid â dy ddibrisio dy hun!'

'Does 'na ddim ennill hefo chi nac oes?'

'Yr hyn dw i'n 'i ddeud ydi be tasa'r dyn 'ma'n dallt y tricia ac wedi gofalu bod gynno fo bartnar ar y pafin y tu allan i'r caffi hwnnw? Sut basa hi arnat ti i drio dengid wedyn?'

Roedd o'n gwybod nad oedd ganddo ateb. 'Daeth o ddim i drio. Ond wedyn . . .

'Gweiddi dros 'stryd, siŵr Dduw.'

'A llaw hwnnw dros dy geg di?'

Doedd 'na ddim ennill ohoni.

'Doedd gynno fo ddim modrwya prun bynnag.' Roedd hi'n hen bryd i'r stori ddod i'w therfyn. 'Dw i ddim 'di bod i lawr yn y coed. Ffansi 'i thrio hi pnawn 'ma.'

'Llonydd yn galw.'

'Ddowch chi?'

'Mae'r ddaear wedi mynd yn rhy beryg i draed y beth fach erbyn hyn. Gofala nad ei di ar goll.'

'Does 'na ddim digon o goed i hynny siŵr.'

146

'Mi synnat. A gofala nad yfi di ddim o ddŵr dan draed.'

'Y?'

'Paid â deud 'Y'! Dŵr ffosydd a dŵr yr afon fach sy'n mynd drwy'r coed.'

'Wna i ddim.'

'Merfyn Coed Hirion, cefndar y petha Canol Rhos 'na. Hwnnw'n trio dod ar ôl y beth fach, 'cau gadael llonydd iddi yr un munud!' Bron nad oedd gwich fechan y llais yn sŵn crio. 'Trio'i hen ddwylo budron arna i, ar 'y nghorff bach i. Finna'n rhedag o'i flaen o a chuddiad rhwng y coed, hyd y lle'r o'n i'n dallt 'y mhetha. Ynta'n chwerthin am 'y mhen i hefo'i hen chwarddiad aflafar dieflig ac yn deud bod gynno fo drw'r dydd.' Roedd y panig ar ben a'r llais yn ôl yn llais stori. 'Toedd o'n chwysu rhwng 'i redag a'i awydd budur i gael 'i hen facha ceimion arna i a rhwbio'i hen gorff mawr annymunol hyd-dda i. 'I wynab o'n fflam goch a'i hen frest flewog o'n codi a gostwng fel tonna'r môr mawr. Mi ddudis i ddigon wrtho fo. Plygu i godi dŵr y ffos yn 'i ddwylo bachog. Yfa di hwnna ac mi fyddi di'n gelan, medda fi wrtho fo, faint bynnag yr wyt ti'n haeddu hynny, gythral y Fall. Chwerthin am 'y mhen i ddaru o a thrio 'nynwarad i'n siarad a deud bod arna i ofn 'i weld o'n yfad am y basa fo'n cael 'i nerth yn ôl a 'nal i a gwneud be fyd fynno fo hefo 'nghorff bach i. Paid ti ag yfad hwnna, Merfyn Coed Hirion, medda fi wrtho fo wedyn. Ond mi yfodd o fo i gyd a phlygu wedyn i yfad mwy. Plygu ar 'i fol a llowcian y dŵr fel bustach yn 'rafon. Pythefnos fuodd o nad oeddan nhw'n 'i roi o yn 'i fedd. Mi ddudis i ddigon wrtho fo. Ddaw dim daioni iddyn nhw os ydyn nhw'n trin y beth fach felly.'

Roedd y lleill yn yr ysgol yn dysgu ffeithiau. Llyfrau ar agor, meddyliau ar grwydr.

'Pa bryd oedd hyn?' gofynnodd o.

'Pan oedd y beth fach yn fengach.'

Fel pob tro.

'Ac ar ôl y cnebrwn dyma Magi Jane Coed Hirion 'i fam o yma a deud ma' fi oedd wedi gwneud iddo fo yfad dŵr budur y ffos ar ôl imi orfadd hefo fo a 'mod i'n gorfadd hefo pawb welwn i ddydd gwyn a nos dywyll. Paid ti â mesur pawb hefo dy lathan gam dy hun, Magi Jane Coed Hirion, medda fi wrthi. A mi ddudis i 'i hanas o a'i hanas hitha a hanas 'i theulu ysgelar hi wrthi. A dyma hi'n deud y gofala hi na chysgwn i'r un eiliad y nos o hynny ymlaen gan gwilydd. Mi ddylat ti wybod cymaint â neb am beth felly, medda fi wrthi, a finna wedi dy weld di'n gorfadd hefo hwnna y rhoist ti o yn 'i fedd y diwrnod o'r blaen, medda fi wrthi wedyn, a'i ddau gefndar dieflig o, medda fi. Mi driodd hi mosod arna i, trio cael 'i hen winadd hirion budron hyd 'y ngwynab bach i. Mi rois i fy melltith arni hi a ddaeth 'na ddim ohoni hi na'i thylwyth diffaith byth wedyn. Gofala di nad yfi di'r dŵr dan draed.'

'Dim uffar o beryg. Sori.'

'Pam na fasat ti wedi aros i siarad hefo'r dyn drws nesa?' gofynnodd Gerda yn y man.

'Wel.' Roedd ei fys yn chwarae ar ei blât gwag. 'Dychryn, debyg. Roedd o mor annisgwyl gweld Mos yn fan'no o bobman, mor fora. Taswn i'n gwybod 'i fod o o gwmpas ella . . . Ac ella bod arna i ofn 'i siomi o. Tasa fo'n trio 'mherswadio i i fynd yn ôl . . . Uffar gors, mi fasa fo . . . Be taswn i'n gorfod . . .'

Uffar gors.

'Ond ro'n i isio sgwrs hefo fo. Ofn o'n i . . .'

Mi fyddai 'na dro nesa. Mi wnâi Mos yn siŵr o hynny. A'r tro nesa byddai'r ddau'n barod a byddai popeth yn iawn.

'Os na fydd y lwmp wedi trechu'r beth fach mi ofala i y cei di bresant pen-blwydd.'

Uffar gors.

'Chi a'ch blydi lwmp. Dw i wedi deud wrthach chi un waith.'

A chafodd o ddim cerydd.

'Dos di i lawr i'r coed rŵan 'ta. A chym di bwyll.'

Aeth i lawr. Ar hyd cae gêr nymbar dau a rifŷrs gêr a thros y clawdd cerrig yn ei ben draw. A'r llygaid llonydd y tu ôl i'r sbectol drwchus yn ei wylio. Croesodd gae arall, neidiodd ffos fechan bron yn sych. Roedd y fasarnen ar gwr y goedlan yn denu ac aeth i fyny i'r brigau. Dringodd mor uchel ag y caniatâi ei bwysau, ac arhosodd yno. Draw dros ddau gae roedd bwrdd bach o flaen drws tŷ a dynes fach yn llonydd wrtho. Roedd o'n dal i drio'i orau i adael iddi gael hynny o annibyniaeth â phosib. Un o ganlyniadau anffortunus profedigaethau'r bore oedd nad oedd wedi cael y cyfle'r oedd wedi'i fwriadu i fynd o gwmpas y Dre i chwilio am waith. Roedd o'n benderfynol o hynny, 'nelo un celwydd bach am ei oed. Medrai gynnig cyfeiriad sefydlog, medrai fynd i'w waith ar ei feic neu gerdded i'r lôn fawr a chael bỳs pan fyddai'r tywydd yn ddrwg. Doedd yr un broblem. Tasai o angen testimonial neu rywbeth felly dim ond rhoi caniad i Mos. Câi hyd yn oed y trip arfaethedig i'r Werddon ei aberthu os câi o waith iddo gael cyflog i dalu am ei gadw. A'i annibyniaeth.

Roedd y dail llydan ar ei goesasu noeth mor braf. Roedd cael corff cyfa heb awgrym o boen mor braf. Roedd cael reidio beic heb boen mor braf. Roedd gallu mynd fel y diawl yn hytrach na dynwared hers mor arallfydol o braf. Dim ond lliwiau oedd ar ôl o'r hen fyd bellach ac roedd gofyn pwyso'n drymach bob dydd arnyn nhw i deimlo poen. Gwnâi hynny'n slei bach yn ei wely bob nos, i ddathlu. Hynny a gwrando ar synau bychan llechwraidd o'r gegin a'r lobi a'r llofft arall. Be oedd y tu ôl i'r rheini? Be oedd hi'n ei wneud gefn nos a ben bore? Be oedd hanes Gerda?

Be oedd hanes Mos? Go brin ei fod yn dal i chwilio'r farchnad. Go brin ei fod wedi dod hyd y parthau yma i'r un pwrpas arall. Tasa fo ddim ond wedi dweud.

'Sut medra fo ddeud, y lob?'

Roedd llais pen coeden yn wych, yn cyrraedd unman. Câi siarad faint a fynnai. Ella bod Mos yn dal yn Dre, yn dal i chwilio.

'Dos i chwilio amdano fo 'ta.'

Na. Dim rŵan. Rhywdro eto, ar ôl iddo fo ddygymod â'r wybodaeth bod Mos yn chwilio amdano fo. Uffar gors. Mos yn mynd o'i ffordd i chwilio amdano fo.

'Ella bod Kate hefyd. Ella'i bod hi'n chwilio rownd Dre pan oedd o yn y farchnad.'

Mi fyddai'n braf gweld Mos a Kate. Yn enwedig o wybod na fyddan nhw'n ei orfodi i ddychwelyd atyn nhw.

'Wnâi Mos a Kate byth beth felly. Yn enwedig ar ôl be welodd Mos.'

Why should you run
Through the shaking tree
As though I'd a gun
To strike you dead?

Roedd hi'n boeth ar ben y goeden, er bod y dail yn ei gysgodi. Dim ond fo a hi. Bron nad oedd yn gwneud seremoni o dynnu'i grys-T a chyflwyno'i gorff i'r awyr iach dyner rhwng y dail iach. Dim ond fo a chyfrinach ei goeden newydd braf. A neb, neb i weld nac i droi pen. Roedd Gerda wedi hen arfer bellach.

Tybed oedd y straeon i gyd mor wir ag yr oeddan nhw i fod? Dudwch y cwbwl, Gerda. Tasai hi ddim ond yn gwybod mor braf oedd hi arno fo rŵan. Roedd o'n dweud hynny wrthi ganwaith mewn diwrnod ond fedrai hi byth lawn ddirnad. Na Mos. Na Kate. Na dyn gwallt du oedd bum punt ar hugain yn gyfoethocach o ran pres nag yr oedd o ben bora.

Hi a'i lwmp. Yn awyr braf y goeden roedd peth felly mor amherthnasol. Rhwng y dail tawel roedd ei fygythiad mor afreal. Heb y straeon, heb y meddyliau, heb y gwefusau'n symud a neb yn gwybod be oedd yn dod drwyddyn nhw, roedd y tŷ a'r lôn a'r A35 a'r fasarnen mor ddiystyr. Doedd y peth ddim am gael digwydd a dyna fo.

'Hi a'i blydi lwmp.'

When all I would do
Is to scratch your head
And let you go.

Doedd yr un hen ddyn wedi cael twtsiad pen ei fys. Doedd o ddim wedi twtsiad pen ei fys yn Teleri rhag ofn iddi hi wneud hynny'n ôl. Dim ond sgwrsio braf a swil a gwenu braf a swil a'r teimladau cynnes cynnes. Ella ar ôl iddo fo gael gwaith ac i'r lliwia glirio'n llwyr a throi'n lliw haul. Dim ond galwad ffôn fyddai ei hangen, os na fyddai Teleri wedi anghofio amdano fo. Go brin, hefyd. Tasa fo'n cael gwaith gallai ddal i ddod yma i ben ei fasarnen bob gyda'r nos. Gallai ddal i beintio'r tŷ i'r beth fach, a dod i lawr i chwilio'r coed. A gofalu ar boen ei enaid i beidio ag yfed dŵr y ffosydd.

12

'Ydi ots pryd cyrhaeddwn ni Gaergybi?'

'Mi gyrhaeddwn pan fydd yr Austin of England wedi gorffan 'i siwrna, ots ne' beidio.'

'Fel'na'r o'n i hefo beic.'

Yn y dyddiau rhwng yr hen fyd a'r beth fach.

Roedd y bwyd wedi'i orffen, a'r sbarion wedi'u taflu i'r tair iâr ddu. Roedd John Mur Calchog am ddod i agor a chau a bwydo'r rheini. Roedd y sbarion eraill ar blatiau'r bwrdd wedi'u clirio rhag ofn llygod, y rheini hefyd wedi mynd i'r ieir. Roedd yr A35 ar y lôn.

'Wannwl! Mae'r fan 'ma'n sgleinio.'

Ambell dro roedd mymryn bach o grafu gêrs, adegau prin o newid gêr heb angen, cadw i ganol y lôn, troi'r llyw'n rhy gyflym neu'n rhy araf. Dim ond weithiau.

'Dyna be'r oeddan nhw'n 'i ddeud am y beth fach. Yr hen dacla. Deud 'i bod hi'n biti na fyddai hi'n cadw'i thŷ a'i chorff mor lân â'i moto. Ro'n i'n gwybod yn iawn be'r oeddan nhw'n 'i ddeud. Yr hen hogyn Tai'r Gongol 'nw'n gweiddi arna i i fynd i molchi er mwyn i'r dŵr fynd yr un lliw â'r ieir. Mi gafodd o ieir. Does 'na fawr o siâp gweiddi arno fo y dyddia yma.'

Roedd Tai'r Gongol yn y gwaelod 'na a Chanol Rhos a Mur Calchog tua'r topia 'na. Dyna hyd a lled gwersi daearyddiaeth Emyr. Bellach roedd o wedi stopio gofyn.

'Dydach chi ddim yn fudur,' meddai. 'Na'r tŷ chwaith. Llawn ydi o. Blêr a llawn. Dim ond y llestri . . .'

'Hidia di befo am fy llestri i, y twmffat bach digwilydd! Chest ti ddim gwenwyn, naddo?'

Ond roedd y rheini i gyd yn lân rŵan hefyd. Y pnawn cynt y dywedodd Gerda bod y trip o fewn diwrnod. Ofer oedd gofyn faint o'r gloch oedd y cwch yn cychwyn, na pha gwmni oedd o. Ond roedd ei fasarnen wedi cael seiat gyfoethog iawn am ddwyawr neu dair wedyn.

'Weli di'r lôn fach 'cw?' gofynnodd Gerda sbelan ar ôl mynd heibio i'w cheg. 'Tawn i'n fengach, mi awn â chdi hyd honna.'

'Be sy 'na?' gofynnodd o.

'Mae 'na draeth melyn bedair milltir i lawr honna.'

'Haleliwia! Oes 'na un o gantorion mawr y byd yn deud straeon digri wrth 'i fêts arno fo?'

'Paid â thorri ar draws y beth fach bob un munud o d'oes!'

'Ydi o'n draeth da?'

'Ond mae 'na gerrig a chreigia arno fo hefyd. I fan'no y byddwn i'n mynd i hel gwichiaid. Fyddi di'n licio gwichiaid?'

'Ches i rioed un.'

'Plant heddiw.'

'Sut flas sy arnyn nhw?'

'Blas gwichiaid. Ond fedra i ddim mynd rŵan. Mae 'na waith dringo dros y creigia pigfain i gyrraedd ato fo. Ond mae 'na faint fynnir o wichiaid yn y pen draw lle mae'r môr yn rhoid 'i garpad gwymon ar y creigia. Ne' mi'r oedd 'na, beth bynnag. Dydw i ddim wedi bod ers blynyddoedd meithion rŵan. Mae'n chwith gen i fethu mynd i'r traeth.'

'Mi helia i wichiaid i chi.'

154

'Nid yn gymaint o'u herwydd nhw chwaith.'

'Pam 'ta?'

'Mae 'na gromlech ar y traeth 'na. Cromlech cyn bod cromlechi. A honno'n llawar uwch na dy ben gola di ac yn llawar mwy na'r un gromlech welist ti rioed. Natur 'i hun gosododd hi yno, cyn bod llgada busnesgar neb i'w gweld hi'n gwneud. Mae'r teitia mawr yn chwarae â'i thraed hi. Dydi'r lleill ddim yn cael cyrraedd, dim ond y teitia mwya. Dyna pam y bûm i'n treulio oria yno, yn ista odani. Dim ond yn fan'no'r o'n i'n dallt. Yn dallt yn iawn.'

'Peidiwch â rwdlan. Rydach chi'n dallt lle bynnag ydach chi.'

'Y?'

'Be am y tŷ? Be am y coed?'

'Mae'r rheini'n iawn, decini.'

'Taswn i'n ych helpu chi ella basach chi'n gallu mynd i'r traeth eto.'

'Mi fydda angan llawar mwy na hynny, 'y nghlapyn gwyn i.'

'Mi awn ni yno hefo cwch 'ta . . . 'Rarglwydd!'

Roedd o'n neidio yn ei sedd. Roedd car wedi dod i'w cyfarfod ar dro ac wedi mynd heibio. Roedd o ar ei liniau ar ei sedd mewn chwinciad yn rhythu dros y beic drwy'r ffenest gefn.

'Be sydd?' gofynnodd Gerda.

'Nhw ydyn nhw hefyd. Wel ia wir Dduw.'

'Pwy, hogyn?'

'Mos a Kate. Drws nesa. Maen nhw wedi stopio.'

'Be wnei di rŵan?' gofynnodd hithau.

'Maen nhw wedi fy ffendio fi eto.'

Arafodd yr A35.

'Be wna i?' gofynnodd Gerda. 'Stopia i?'

Daliai Emyr i syllu drwy'r ffenest gefn.

'Na,' meddai, ychydig yn betrus.

'Be wna i os dôn nhw ar ein hola ni?'gofynnodd hithau, bron fel tasai'r byd yn dirwyn i ben.

'Mynd fel y diawl.'

'Be haru ti'r lembo distyriad? Dw i'n mynd thyrti tŵ fel mae hi.'

'Dydi o ddim gwahaniaeth chwaith. Mae Kate a Mos yn iawn. Dal wedi stopio mae o prun bynnag.' Trodd yn ôl i eistedd am fod yr A35 wedi mynd heibio i dro arall a'r car wedi mynd o'i olwg. 'Rêl Kate a Mos. 'Fetia i nad oes gynnyn nhw syniad be i'w wneud nesa. Fel'na maen nhw pan maen nhw hefo'i gilydd bob tro.' Erbyn hyn roedd yn gwenu'n braf. 'Dim blydi syniad.'

'Does arnat ti ddim isio siarad hefo nhw rŵan chwaith?'

'Mi fasa'n werth i chi weld 'y nghorff i rŵan, Mos. Dim ond olion hen gleisia.' Trodd yn ôl yn ei sedd drachefn, ond doedd neb yn eu dilyn. 'Na. Mi ffonia i nhw o Werddon.'

Ailsetlodd yn y sedd. Roedd oglau difyr arni, ac o dipyn i beth dechreuodd sioc sydyn Mos a Kate fynd yn eilbeth i'r rhyfeddu am fod yr A35 ar y lôn. Troai ei ben yn aml ond doedd dim golwg o neb oedd o bwys iddo fo. Er hynny roedd yr hen fyd oedd newydd ei aildanio'n mynnu ymwthio drwy bob rhyfeddod.

'Hei!'

'Be?' gofynnodd Gerda.

'Nefi Job! Mae'r côr crawciog 'na wedi cael gwadd i Werddon meddan nhw.'

'Pa gôr, hogyn?'

'Yr un mae o'n canu yn'o fo, os dyna galwch chi o.'

'Pa fo? Y dyn yn y car 'na rŵan?'

'Arglwydd mawr, naci! Drws nesa. Y dyrnwr.'

'O. Amball air yn anodd 'i ddeud, 'tydi 'ngwas i?'

'Meddyliwch am adael petha felly i mewn i Werddon.'

'Fuo gan y beth fach rioed ddim byd i'w ddeud wrth ryw ganu a rhyw betha. Yr hen Sali Blodwen felltith 'na.'

''Rhen gnawas.'

'Paid â chymryd y beth fach mor ysgafn!'

'Sori. Pwy 'di honno?'

'Pwy oedd hi debyg. Mam y petha Canol Rhos 'ny, os medri di alw peth felly'n fam.'

'Be amdani hi?'

'Canu ym mhob côr wela hi. Sgwario o'r naill un i'r llall ac yn ôl wedyn. 'I rhoid 'i hun yn solffeurag o fri . . .'

'Be 'di hwnnw?'

'Wel rhywun sy'n gallu darllan a chanu noda'r caneuon a'r petha ar y twymiad cynta, debyg.'

'O.'

'Hi a'i solffeuo. Fedrodd hi wneud dim rioed ond gwichian a hornio. Chwilio'r trwsusa oedd hi. Ond unwaith roedd y rheini'n dŵad i'w nabod hi roedd hi i ffwr ac am y côr nesa yn gynt na chanu do-re-mi-ffa-so, yn newid 'i chora'n amlach nag yr wyt ti'n mynd â dy drwyn eiddgar i lyfr dy fardd. Nid 'mod i'n dy gymharu di â honno o bawb.'

'Dydw i ddim yn dallt hannar y rhein prun bynnag.'

'Cym di d'amsar. Y beirdd ffwr â hi 'ma ydi'r rhai mwya di-fudd bob gafal.'

157

'Ella dallta i nhw rhyw ddiwrnod. Mae gofyn gwybod hanas Werddon cyn medrwch chi wneud dim o'r rhan fwya sydd yn hwn. A hyd yn oed wedyn dw i ddim yn siwr 'ta cymeradwyo 'ta condemnio y mae o yn y cerddi dw i'n meddwl y gallwn i 'u dallt.'

'Hidia di befo am hynny rŵan. Rwyt ti wedi torri ar 'y nhraws i eto. Deud o'n i pan fuodd y cythral Guto Canol Rhos 'nw farw reit dan 'i thrwyn cam hi ar ôl 'i flynyddoedd anfad o ddeud 'i glwydda budron am y beth fach dyma hi'n penderfynu nad oedd hi ddim am 'i gladdu o yn y fynwant damp rhag ofn i mi fynd yno a rhoi fy melltith ar 'i hen fedd tywyll o. Mi aeth hi ag o i'r tŷ llosgi 'na ym mhen pella'r sir a mi ruthon nhw fatsian dan 'i din o yn fan'no.'

'Oedd 'na lot o fwg?'

'Twt twt! Ond mi ofalodd y Duw Mawr uwchben bod y gwynt o'r cyfeiriad arall y diwrnod hwnnw. Doedd o ddim am weld peth felly'n dŵad yn agos i ffroena'r beth fach. A'r hen Ddanial Canol Rhos 'nw'n udo ar 'i ôl o nes bod 'i syna aflafar o'n uwch na mul Saeson diarth Pwll Terfyn. Colli partnar 'i ddichall. Wel ddaru 'na neb grio nac udo ar 'i ôl o, mae hynny'n ddigon siŵr iddo fo.'

'Mae'n swnio fel tasa fo 'di gallu bod yn aelod grêt o'r côr 'na.'

Roedd oglau da yn yr A35. Roedd o'n dal i droi i edrych drwy'r ffenest gefn bob hyn a hyn. Roeddan nhw ar eu ffordd ac roedd pobl wedi poeni digon amdano i ddod i chwilio'i hynt. Iawn, ond châi hynny ddim tarfu. Doedd o ddim am fynd yn ôl. Doedd dim mynd yn ôl. Roedd o'n gwerthfawrogi pryder a thrafferth Mos a Kate, oedd debyg. Ond roedd o'n gwerthfawrogi i'w eithaf hefyd wefr a rhyfeddod y beth fach yn dreifio a doedd dim mynd yn ôl.

*   *   *

'Mor hawdd â hynna yn y diwadd.'

Gwenodd Moses wrth sathru tyllau trwsiedig y lôn fach.

'Mae o wedi cael hwyl ar y rhain. Maen nhw'n hollol solat gynno fo.'

Yn y drydedd garej ar ôl gweld yr A35 ar y lôn y cawson nhw wybodaeth am ei pherchennog. Rŵan roedd eu car wrth y giât lôn a hwythau wedi dod i lawr at y tŷ. Doedd dim posib busnesa drwy'i ffenestri chwaith gan fod llenni pob un ar wahân i'r bathrwm wen wedi'u cau'n dynn.

'I be mae isio'u cau nhw?' gofynnodd Kate. 'Fedran nhw ddim bod ymhell a'r ieir allan.'

Eisteddodd Moses ar y wal gerrig isel o flaen y tŷ ac edrych i lawr ar y wlad helaeth odano.

'Yr un fath adra. Mae o'n dipyn parotach 'i gymwynas yn ein gardd ni nag un Heddwyn er 'mod i'n arddwr salach.'

'Ne' am dy fod ti'n arddwr salach.'

'Ella wir.'

Daeth Kate i eistedd ato.

'Wel?' gofynnodd.

'Be?'

'Ydan ni am ddeud wrthyn nhw?'

'Dim peryg.'

Nac wrth y plismyn?'

'Dim heb 'i gydsyniad o.'

'Go brin y cawn ni beth felly.'

'Difetha'i fywyd o eto.'

'Mae'n debyg ein bod ni'n torri rhyw gyfraith neu'i gilydd,' meddai hi ar ôl pwl arall o fusnesa'n hamddenol â'i llygaid.

'Os ydi o'n iawn waeth gen i faint o gyfreithia dorra i. Ac mae o'n iawn.'

Cododd Moses a dychwelyd at y twll lôn trwsiedig agosaf ato. Safodd arno, a chodi ar flaenau'i draed i fyny ac i lawr ddwywaith neu dair.

'Mae o'n haeddu llonydd tasa dim ond am hyn,' meddai. 'Mae'n amlwg bod y ddau'n gwneud yn iawn hefo'i gilydd. Ac mae'r ddau arall 'na'n gwneud yn iawn hebddo fo.'

'Ydyn nhw?'

Chafodd hi ddim ateb i hynny.

'Be wnawn ni rŵan 'ta?' gofynnodd wedyn. 'Aros?'

'Mae'n siŵr bod 'na rwbath yn sownd yn y weiran ffôn 'ma. Mi gawn ni'r rhif a'u ffonio nhw ar ôl mynd adra. Mi fydd hynny'n well na'i ddychryn o eto.'

Cododd Kate. Dychwelodd y ddau'n araf at y car. Clymodd Moses y cortyn neilon main am y giât tra bu Kate yn troi'r car yn ôl. Ddywedwyd yr un gair nes cyrraedd y lôn fawr.

'Am dro 'ta adra?' gofynnodd Kate.

'Dewis di.'

'Am dro. Mae gynnon ni fwy o amsar i chwilio am dŷ rŵan felly,' ychwanegodd ymhen ychydig.

Roedd hynny'n anorfod. Gwaethygu'r oedd hi rhwng dau dŷ, gwaethygu cymaint nes bod Kate yn fwy awyddus na Moses i fudo. Roedd Dilwen fel tasai hi wedi penderfynu mewn unnos mai pymtheg ac nid pymtheg ar hugain oed oedd hi ac wedi dechrau gwisgo ac ymddwyn felly. Pan nad oedd Heddwyn yn edrych doedd yn ddim gweld gweddillion tebot yn cael ei dywallt dros glawdd eu gardd nhw. Roedd barn hyglyw amdanyn nhw'n cael ei datgan yn un swydd iddyn nhw glywed. Roedd barn am fagu plant yn amlach a mwy hyglyw fyth. Mae o'n deud arnat ti, meddai Moses. Ond roedd o'i hun yn llawer gwelwach o'u clywed.

*   *   *

Fedrai Emyr ddim credu mai drwy ddewis Gerda yr oeddan nhw wedi landio ar long yr *Innisfree*. Yn ôl ei syms o, roeddan nhw wedi colli tri chwch, nid yn unig oherwydd arafwch cyson di-stŵr yr A35 ond yn fwy drwy fod Gerda'n ymwrthod yn lân â phriffyrdd. Ac eto, roedd y synau a glywai yn y tŷ pan fyddai weithiau'n lled-effro gefn nos neu ar ei thoriad hi'n ei gwneud yn addas rywfodd mai gefn nos yr oedd eu llong yn ei chychwyn hi am Iwerddon hefyd. A doedd dim yn fwy addas na bod eu llong yn morio yn hytrach na rhuthro.

Rhyw hanner llawn oedd hi, ond roedd hynny'n gannoedd a Gerda'n methu dallt hynny gefn nos dywyll. Roedd hi'n methu dallt pam nad oedd hi'n siâp llong y tu mewn a pham nad oedd pob sedd yn wynebu'r un ffordd â'r llong fel yr oeddan nhw yn y bỳs mawr. Doedd hi ddim wedi dallt chwaith mai yng nghrombil y llong yr oedd hi wedi parcio'r A35 ynghanol cymaint o fotos ac ynghanol cymaint o sŵn a gorchmynion. Rhyw lefnyn mewn côt felan oedd wedi rhoi cyfarwyddiadau iddi hi ond roedd o'n rhy syn i weiddi unrhyw orchymyn. Roedd hi'n methu dallt sut roedd pobol yn gallu cerddad o gwmpas a sefyllian fel tasan nhw adra yn hytrach nag ista'n llonydd yn 'u sedda ar daith mor rhyfygus. A chynllwyn i swyno pobol oedd crandrwydd y seddau hefyd. Roedd hi'n methu dallt sut medran nhw werthu petha arni.

'Cym di'r ofal na wela i monot ti'n prynu dim o'r hen gwrw 'na!'

'Dim uffar o beryg. Tasach chi'n gweld y blydi dyrna a'r blydi rhaff 'no ar 'i ôl o.'

'Go damia hen bobol.'

Cawsant gongol. Sodrodd Gerda hi i lawr. Dychrynodd pan ddywedodd Emyr ei fod am fynd i fusnesa o gwmpas. Llwyddodd o i ddarbwyllo rhywfaint arni ac ar ôl rhaeadrau o rybuddion a chynghorion aeth i fyny i awyr iach gynnes y nos i ddathlu'r llong yn cychwyn a goleuadau Caergybi a Môn yn troi a graddol bellhau. Wedi iddyn nhw ddiflannu arhosodd ble'r oedd a phwyso ar y canllaw i edrych ar hynny o fôr a welai odano'n cael ei dorri mor esmwyth gan y llong. Roedd o ar ei ffordd i Iwerddon ac Inis Fraoigh dros dair blynedd ar ôl iddo fo ddechrau dymuno hynny, ac yn y ffordd ryfeddaf dan haul. Pa haul? Dri o'r gloch bora a nos gynnes amdano a hen, hen ddynes lawn cyfrinach yn poeni yn ei gylch ac A35 sgleiniog ynghanol degau o geir odanyn nhw. Roedd y lleill ynghwsg cyn eu harholiadau. Roedd rhaff neilon drwchus a thameidiau bychan bychan o groen a gronynnau bychan bychan o waed sych wedi'u hasio yn rhan ohoni yn llonydd yn y cwpwrdd a'r ddau'n cysgu eu cwsg gwag yn eu llofft uwchben.

Oedd arnyn nhw hiraeth? Hiraeth! Am un peth, ella. Y drws nesa roedd Kate a Mos yn cysgu ar ôl dod o hyd, rhyw fath o ddod o hyd. Ond roedd o'n mynd i'w ffonio nhw, i ddiolch iddyn nhw am drafferthu i chwilio amdano fo ac am eu bod nhw'n dryst. A chwe milltir ymhellach roedd Teleri'n cysgu'n hardd yn ei gwely gwâr.

Ac roedd Côr y Bôr wedi cael gwahoddiad i Iwerddon. Roedd hi'n fain ar rywun. Tybed beth oedd barn y Trysorydd am fynd i ganol y blydi Padis? Oedd o'n cysylltu'r ddau beth? Fedra fo gysylltu'r ddau beth? Cyfrannodd boer i gymysgu â'r ewyn odano. Côr y Bôr yn mynd i Iwerddon. Main iawn ar rywun. Neb yn Iwerddon yn eu nabod nhw. Gŵyl werin neu rywbeth, yn Trá Lí.

'Côr y Bôr mewn gŵyl werin. Uffar gors.'

Glaniodd poer gwyn arall yn yr ewyn gwyn.

Toc, draw i'r dde, i'r gogledd, roedd goleuadau amryliw llong arall ar yr un daith. Dyna'r pryd y llawn sylweddolodd o.

'Hei! 'Dan ni ar ein ffordd i Werddon!'

Astudiodd llygaid rhyfeddod y goleuadau. Ganol nos bron yn dywyll a nhwtha ar eu ffordd i Iwerddon. Ai peth fel hyn oedd nos? Ai profiad fel hyn oedd pob un, lle bynnag oedd rhywun, beth bynnag oedd rhywun yn ei wneud heblaw cysgu? Doedd ryfedd fod y beth fach mor ffond ohonyn nhw. Cofiodd amdani. Ella y byddai'n well iddo ddychwelyd ati, i'w congol. Doedd dim mymryn o awydd cwsg arno, ac aeth i fusnesa drwy'r llong yn gyntaf ar ôl un llynciad iawn o awel y môr ar ei wyneb. Yma ac acw roedd pobl yn yfed, rhai'n bwyta, ambell un yn darllen, a llawer yn cysgu, rhai yn daclus barchus yn eu seddau, rhai ar eu hyd ar y seddau, rhai ar eu hyd ar lawr. Roedd dau gariad yn cysgu'n sownd yn dynn yn ei gilydd. Ella y câi fod felly hefo Teleri ryw ddiwrnod. Naci debyg, rhyw noson. Dengid hefo hi i Iwerddon dri o'r gloch bora yn yr *Innisfree* a chysgu ar lawr y llong yn dynn dynn yn ei gilydd. Uffar gors. Mi fyddai Teleri wrth ei bodd yn cael dod i Iwerddon. Doedd hithau ddim yn carlamu am yr ysgol bob bore chwaith.

Doedd o ddim wedi meddwl am afael mor dynn yn Teleri o'r blaen.

Naci. Tasai hi'n dengid nid Teleri fasai hi. Roedd hi'n amhosib i Teleri gael achos i ddengid.

Roedd corn siarad yn hwrjo'i siop ddi-dreth. Aeth iddi, a'i chael yn llawn joch o nialwch nad oedd ganddo'r diddordeb lleiaf ynddyn nhw. Silffeidia o ddiodydd a sigarennau a sent. Mynwent rhyddid. Mynwent dychymyg. Be tasa fo'n prynu potal sent i Gerda? Roedd pobl yn edrych yn rhyfedd arno'n chwerthin yn braf ar ei ben ei hun yn fan'no. Ella byddai Teleri'n hoffi peth. Doedd o ddim wedi bod yn ddigon agos ati i wybod.

Roedd Gerda'n pendwmpian pan ddychwelodd, a'i chôt ddu ar ei glin a'i dwy law fechan dew yn gafael yn dynn ynddi. Cyn hir, o gael llonyddwch, blinodd ei gorff yntau ar y newydd a rhoes hi i lawr wrth ei hymyl, gorwedd ar y sedd rhag ofn iddo gael dam. Munud neu ddau nad oedd llygaid yn mynd yn swrth ac yntau'n stwyrio mymryn i fod yn fwy cyffyrddus i gysgu.

Ac, ynghwsg, dynesasant ill dau tuag at Iwerddon. Yn ddiarwybod iddyn nhw, cawsant lawer cynulleidfa bytiog syn i ryfeddu wrth fynd heibio ar hen hen ddynes yn ei sgidiau bach fflat a'i sanau llwyd byr a dau bwt o ddwy goes noeth dan ffrog ddu a jersi lwyd gwddw crwn drom yn pendwmpian y tu ôl i sbectol drwchus ar drwyn smwt a'i gwefusau'n symud dro wrth wneud hynny, a hogyn golau yn ei grys-T coch a'i siorts yn gorwedd yn dawel wrth ei hochr a'r un mor ddiarwybod iddo fo os nad iddi hi yn defnyddio'r ffrog ddu a'r glun odani fel gobennydd.

''Ngwas gwyn i.'

Roedd wedi dyddio'n braf ers meitin. Deffrôdd Emyr yn sydyn, a dychryn braidd o sylweddoli lle'r oedd ei ben yn gorffwys arno. Gwridodd wrth i lygaid gyfarfod. Ond yna, yng nghanol y wrid, a'r llygaid ar lygaid, roedd gwên hen fêts yn ymledu.

Roedd bron yn saith. Cododd, ac aeth allan a rhedeg i fyny i'r dec i gyfarch y bore. A chyfarch harbwr Dulyn.

13

'Be ddoth dros 'y mhen bach diniwad i i feddwl dod i'r fath le?'

''Dach chi'n iawn, siŵr. 'Dach chi'n mynd yn iawn. Fedrwch chi ddim mynd ohoni rŵan.'

Yr un oedd y cwestiwn bob tro, a'r un oedd yr ateb bob tro.

'Lle 'dan ni?'

'Dulyn, siŵr.'

'Roeddan ni yn fan'no bora!'

'A 'dan ni ar ein ffordd o'no rŵan.'

Fo oedd wedi talu am barcio ac wedyn am betrol a doedd o ddim wedi dweud faint. Roeddan nhw wedi treulio'r bore a'r pnawn cynnar yn Nulyn am nad oedd bod ar ei thraed drwy'r nos a dreifio ddim yn dygymod â'r beth fach. Doeddan nhw ddim wedi crwydro'r ddinas chwaith, dim ond i un lle. Roeddan nhw wedi brecwasta ar fainc, ac wedi aros yno tan tua deg i fusnesa a phendwmpian a dadflino a phrofi bore bywyd diarth. Yna, ar anogaeth Emyr, roeddan nhw wedi cael bỳs i Goleg y Drindod.

'Mae gen i rwbath i'w ddangos i chi.'

'Sut gwyddost ti o bawb am le fel hyn?'

Os oedd Gerda'n gwerthfawrogi'r gwahaniaeth disyfyd rhwng prysurdeb dinas un munud ac urddas distaw bron a diamser bron cwad y coleg y munud nesaf ni ddangosodd hynny. Ni ofynnodd ddim chwaith, dim ond cydgerdded ei chamau mân wrth ochr Emyr. Roedd llawer yn y cwad, ond doedd o ddim yn brysur. Roedd myfyrwyr yn sefyllian, yn eistedd yma ac acw, yn gorweddian, yn sgwrsio, yn darllen. Roedd ambell ddarlithydd yn mynd heibio yn brysurach, yn ôl gofynion y swydd. Dywedodd Gerda helô wrth ŵr oedd yn nes at ei hoedran hi nag oedran Emyr a nodiodd hwnnw yn ôl beth yn ffurfiol arni. Am eiliad, am resymau annisgwyl, roedd Emyr yn anniddig. Roedd wedi hoffi'r lle ar amrantiad; ar amrantiad roedd o'n dyheu am gysylltiad parhaol â lle fel hwn. Teleri ac yntau yn y coleg hefo'i gilydd, yn pwyso yn erbyn wal neu'n eistedd ar wellt, pob un â'i lyfr. Llygaid yn codi ac yn cyfarfod. Gallai hynny fod, mor hawdd a dirwystr. Fedrai o ddim meddwl amdano fo'i hun mewn un coleg a hithau mewn un arall. Ond sut bynnag y byddai hi roedd yn rhaid i ddyfodol felly olygu addysg ysgol ac addysg arholiadau yn gyntaf. Am funud roedd o'n ansicr. Roedd mwy o waith meddwl i ddengid wedi'r cwbl.

Ni ddywedodd ddim chwaith. Dilynodd yr arwyddion.

'Dyma ni, ylwch.'

'Be s'gin ti yn fa'ma?'

Rydan ni'n mynd i'w weld o. Ddaru mi rioed ddychmygu. Am hwn y cafodd hi a fi sgwrs mor sleifar, yn llawn joch o awgrymiada melys melys hyfryd hyfryd. 'Blaw am y blydi cleisia . . . Ond dw i isio'i weld o prun bynnag.

'Chlywa i monot ti'r lwmpyn! Siarad yn gliriach!'

'Mi fyddwch chi wrth eich bodd hefo hwn.'

Talodd am ddau docyn yn y llyfrgell, ac aeth â Gerda drwodd. Roedd prysurdeb dinas lathenni i ffwrdd yn angof rŵan 'ta. Rywle o'u blaenau ym mhen draw'r dalenni a'r llyfrau o hen hen hanes a hen hen gelfyddyd yn eu casys gwydr o dan y goleuadau gofalus roedd Llyfr Kells. Ond doedd dim brys. Roedd y distawrwydd gwâr yn gorfodi aros wrth bob dalen, wrth bob poster. Am ei fod o'n darllen yn llawer cyflymach na hi roedd o'n gallu gwerthfawrogi'r wybodaeth a'r atgynyrchiadau a'r awyrgylch, a'r un pryd ryfeddu at Gerda yno yn nhynerwch y golau a'r distawrwydd, yn darllen a sugno pob gair ar bob bwrdd, y bys tew byr yn codi ac yn dilyn patrwm mewn llun neu air, y gwefusau di-stop yn dweud y pethau heb i neb eu clywed. A thrwy holl gywreinrwydd y darluniau a'r llythrennau o dan y golau drud roedd i'r peintiadau duon anghelfydd eraill ar gerrig a boncyffion yng ngolau llymach cegin y tu hwnt i lenni bregus dros y môr eu lle hefyd. Gwyddai Emyr hynny. Gwyddai'n well o weld y rhain. Buont yno drwy'r bore. Sbîd Gerda.

O'r diwedd daethant at y llyfr. Roedd o'n dyheu y munud hwnnw am gael ei fysedd arno ond yn gwerthfawrogi y munud hwnnw pam na châi. Bodlonodd i ryfeddu, yna bodloni i edrych. Am eiliad, dim ond patrymau a welai ar dudalen heddiw, patrymau lliw ar y chwith bob rhyw ddwy linell o'r patrymau ar draws y dudalen, patrymau bychain eraill yma a thraw ar y dde, fel patrymau llenwi lle, yn union fel tasai ar y dylunydd ofn lleoedd gwag. Uffar gors! Yn union fel Gerda. Yn union fel bwrdd Gerda. Yn union fel llyfrau Gerda.

'Be wyt ti'n 'i wenu?'

'Rhyfeddu o'n i.'

O dipyn i beth roedd rhai o'r patrymau i'w gweld yn

cael eu hailadrodd ac yn raddol trodd y rheini'n llythrennau. Cynigiodd Emyr ambell un.

'*A – u – c – e – m. Aucem. P – r –* rwbath *– e – g,* ella. *Pr –* rwbath *– egn –* rwbath.'

'Be?' gofynnodd Gerda'n amheus.

'Lladin ydi o.'

'Lladin ydi be?'

Roedd myfyriwr ifanc a safai yr ochr arall yn codi'i ben i edrych arnyn nhw. Emyr oedd yn gesio mai myfyriwr oedd o. Mewn coleg oeddan nhw. Roedd gwên fechan ar ei wyneb.

'Cymraeg ydach chi'n 'i siarad?' gofynnodd.

'Ies,' atebodd Gerda.

'Mae 'nghariad i'n dod adra o Gymru heddiw. Dw i'n mynd i'w chwfwr hi pnawn.' Lledodd ei wên. 'Dydi hi ddim yn gwybod hynny chwaith.'

'Yn 'coleg wyt ti?' gofynnodd Emyr.

'Ia. Nid yma chwaith. Yn Gaillimh.'

'Dw i newydd weld fan'no yn yr atlas.'

Roeddan nhw'n fêts y munud hwnnw. Roedd acen y myfyriwr mor agos atoch chi, yn gwadd cyfeillgarwch.

'Be 'di d'enw di?' gofynnodd Emyr.

'Declan.'

'Emyr 'dw i. A dyma Gerda.'

'Ydach chi'n perthyn?'

'Arglwydd ydan!' Chwarddodd Emyr ar geg lydan Gerda. 'Dim un dafn o waed chwaith.'

Cododd Declan aeliau cynnil annealltwriaeth, a throdd ei sylw'n ôl at y cês gwydr.

'Wyt ti'n medru'i ddarllan o?' gofynnodd i Emyr.

'Dw i'n gwybod mai Lladin ydi o. *Aucem pr-*rwbath.'

Daeth Declan i'w hochr nhw. Safodd rhyngddynt. I Emyr, roedd o'n ddyn yn ei oed a'i amser. I Gerda, rhyw gybyn cwta ugain oed oedd yn sefyll wrth ei hochr, tal debyg iawn, fel pob un ohonyn nhw, ond braidd yn anodd ei ddirnad hyd yma. Tybad faint o waith nabod oedd ar beth fel hyn?

Ond roedd Declan a'i sylw'n gyfan gwbl ar y ddalen.

'*Autem* – ond,' meddai. 'Yli.' Pwyntiai. 'Yli'r llinell fach syth 'na ar ben y llythyren ganol. *T* ydi hi, nid *c*. *Vae autem praegnantibus.*'

'*Vae* ydi'r patrwm mawr 'na?' gofynnodd Emyr.

'Ia. *U* ydi'r siâp melyn, ac yli'r *A* y tu mewn iddi. Welwch chi?' gofynnodd i Gerda.

'Ia, ella,' dyfarnodd hithau, a thinc rhesymol ei llais yn datgan ei bod wrthi'n dod i benderfyniad am ei hathro newydd hefyd.

'Ac yli'r *U* yn sticio allan yn grwn yn ei gwaelod,' ychwanegodd Declan wrth Emyr, yn anwybyddu neu'n anymwybodol o'r ymchwilio treiddgar i'w bersonol-iaeth o'r tu ôl i'r sbectol drwchus yr ochr chwith iddo. 'Wyddost ti pam?'

'Na wn i,' meddai Emyr.

Doedd Emyr rioed wedi teimlo'n anghysurus pan na fedrai ateb cwestiynau o'r math yna.

'Ydi o'n d'atgoffa di o rwbath?'

'Dim felly,' atebodd bron ar ei union. 'Troed ydi honna odano fo?'

'Ia, mae'n debyg. Beth am fol dynas feichiog?'

'Twt twt!' hisiodd Gerda.

Chwarddodd Emyr yn hapus dawel. Gwenai Declan.

'*Vae autem praegnantibus Et nutriantibus in illis diebus.*'

170

'Iesu! Ti'n sleifar o ddarllenwr!'

'Paid â rhegi! Mae'r beth fach yn dallt dy Susnag di'n iawn, i ti gael gwybod!'

'Be 'di'i ystyr o?' gofynnodd Emyr.

'Ond gwae'r rhai sy'n feichiog, a'r rhai sy'n bwydo o'r fron yn y dyddiau hynny.'

'Y Beibl Mawr ydi hwnna,' dyfarnodd Gerda ar ei hunion.

'Ia,' cytunodd Declan. 'Ac yli'r llythyren yma,' meddai wrth Emyr. 'Be weli di?'

'Waw! Wynab a chorff pob siâp. Nefi Job! Yli argyfwng, was bach!'

Argyfwng. Basdads.

'Ia. Wyt ti'n gwybod dy Feibl?'

Dim ots, ella. Hen fyd.

'Dim mor dda â hynny.'

> '*Erit enim tunc tribulato magna*
> *qualis non fuit ab initio mun*
> *di usque modo neque fiet*

Mae *mundi*'n un gair.' Roedd bys Declan wedi dilyn y llythrennau heb gyffwrdd yn y gwydr. 'Yn wir, yr adeg honno bydd gorthrymder na bu ei fath o ddechreuad y byd hyd yn awr, nac a fydd byth.'

Dau ar y trot. Nhw a'u blydi bygythiada.

'Oes gynno fo rwbath callach i'w gynnig?'

Chafodd o ddim ateb am eiliad. Roedd Declan fel tasai o wedi synnu braidd at ei gwestiwn, neu ella at y diflastod sydyn a'r siom ddigamsyniol yn ei lais. Nid i hyn y daethai yma. Nid i hyn y bu'r sgwrs mor arallfydol felys ar ddiwedd gwers. Nhw a'u blydi bygythiada. Nhw a'u blydi cleisia. Mentrodd ragor.

'Angan penna'r rhain ydi'r angan am elynion. Mae'r rhan fwya'r un fath.'

Doedd o ddim yn gwybod oedd Gerda'n ei glywed. Dim ond wrth ei ddweud y cysylltodd o'i eiriau â'r petha Canol Rhos hynny a'r casgliad arall anorffen o ddynionach ellyllaidd oedd yn mynd â bryd llachar y beth fach mor aml.

Am eiliad roedd Declan yn dawel.

'Mae'n dibynnu ar be wyt ti'n ei alw'n gall, ella,' cynigiodd yn araf yn y man, a diddordeb newydd yn ei lais. 'Ond mae gan Lyfr Kells betha tra gwahanol i hyn. Mi fydd 'na dudalen wahanol i ti fory,' gwenodd, o bosib fymryn yn ansicr. 'Ella bydd honno'n plesio'n well.'

Nhw a'u blydi bygythiada. Ond roedd Gerda wedi dallt.

Ond bygythiada ddaeth â ni yma. 'Blaw am hynny fyddwn i ddim wedi gweld Gerda o gwbwl. O uffar gors!

'Be?' gofynnodd Declan.

'Dim. Hidia befo.'

Doedd dim ots chwaith, ella. Yn raddol, trechodd celfyddyd y neges unwaith yn rhagor i Emyr, a rhan o wefr y profiad oedd mai rhywun yn llawer nes at ei oed o nag oed Gerda oedd yn rhoi'r wers fechan ddigymell iddyn nhw ac nid fel arall, fel y byddai wedi disgwyl. Roedd cariad Declan yn dod o gyffiniau Sligeach ac ella y bydden nhw'n cyfarfod eto, meddai, a golwg fyfyrgar lond ei wyneb wrth edrych ar Emyr, cyn diflannu i chwilio am ginio cyn mynd i'r porthladd. Arhosodd Gerda ac Emyr wrth y llyfr, y ddau fel ei gilydd yn gyndyn o symud.

'Ddaru'r lluniwr 'ma brofi'i waith yn 'i fywyd?' gofynnodd o toc.

'Be?'

'Yr argyfwng yn y patrwm *Erit* 'ma, yn y llythyren *E*. Oedd o'n gwybod am be oedd o'n sôn?'

'Os nad oedd o mi fedra fo ddychmygu, decini.'

'Medra debyg.'

Tasa fo'n cael ei facha ar y llyfr a throi ei dudalennau a chael Declan i ddarllen rhywbeth mwy dyrchafol, rhywbeth a fyddai'n gweddu i awyrgylch llyfr a lle. Os oedd pobl yn cael eu cyflyru i fygythiadau, yn cael eu cyflyru o'r crud, doedd fawr ryfedd eu bod yn bethau mor gyffredin a phoblogaidd. Roedd paent ar garreg yn wyneb diafol draw dros y môr, ond roedd y beth fach wedi'i nabod o a'i gastia – dyna pam roedd yno ar ben y cwpwrdd, wedi'i amddifadu o bob gallu i fygwth. Ond eto roedd y paent wedi methu rhoi terfyn ar y Canol Rhosydd a'u tebyg.

Iawn 'ta. Mi wn i sut mae ennill. Y cwbwl sydd isio'i wneud ydi peidio ag edrach ar Mr Côr y Bôr a'i wraig fel gelynion a'u diawlio'n ddi-stop. Mi wna i'u galw nhw'n Dad a Mam, hyd yn oed, a'u ffonio nhw i ddeud wrthyn nhw lle'r ydw i a chael sgwrs gyfeillgar lawn hwyl hefo nhw. Fyddan nhw ddim yn fòs arna i a fydda i ddim yn fòs arnyn nhw. Fel'na mae ennill.

'Be? Pam gebyst na siaradi di'n glir, hogyn?'

'Dyma i chi be 'di hanas.'

Roedd celfyddyd yn trechu eto.

'Mi fedri di ruthro dy fywyd ne' mi fedri di wneud petha fel hyn,' cyhoeddodd hithau.

Ac roedd y dyfarniad hwnnw wedi'i wneud cyn cychwyn.

'Mae'n well gen i hyn.'

'I be wyt ti'n gyrru mor wirion hefo'r beic main 'na 'ta?' gofynnodd hithau fel roedd o'n gorffen.

Trodd ati. Llygaid ar lygaid.

'Does 'na ddim ennill hefo chi nacoes?'

'Nid yn erbyn y gwir, 'ngwas i.'

Canlynasant arni ar eu taith araf drwy'r trysor. Draw dros y môr roedd un llinell o weledigaeth gartra paent du ar drysorau di-sglein yn ddigon llydan i chwalu degau o linellau ac oriau o geinder gofalus y trysorau hyn. Dydi pob trysor ddim yr un fath. Roedd llygaid ar lygaid yn cadarnhau hynny.

'Fel hyn mae cadw llyfra, ylwch,' mentrodd o wrth iddyn nhw gerdded y llwybr gorfodol ar hyd oriel y llyfrgell ar eu ffordd allan.

'Petha i'w darllan ydyn nhw, nid i'w cadw.'

Roedd bod y llwybr yn gorffen mewn siop yn eu hatgoffa mai twristiaid oeddan nhw. Doedd dim gwahaniaeth ganddo fo am y tro, beth bynnag, oherwydd roedd llwythi o gardiau post yn eu hwynebu, a'r dewis yn ymddangos yn ddiddiwedd. Pendronodd fymryn rhwng atgynyrchiadau llawn neu lythrennau unigol. Roedd y rheini'n symlach ac ella'n gweddu'n well. Dewisodd un o'r llythrennau cyfansawdd yn sillafu *Bonum* am fod hwnnw'n fwy addas fyth ac mewn cefndir golau braf a phrynodd feiro rad a llyfr stampiau i fynd hefo fo. Doedd o ddim yn cofio'n union be oedd wedi'i ddweud am Lyfr Kells yn y wers honno oedd wedi esgor ar y fath brydferthwch mewn sgwrs wedyn.

Annwyl Teleri,
    Yli lle dw i. Wyt ti'n cofio ni'n cael gwers ar hwn? Wel dw i newydd 'i weld o a mae o'n sleifar.

174

Pwyll. Ystyried mymryn cyn sgwennu. Dyna mae isio i chi 'i wneud yn yr arholiada meddan nhw.

Mae'n grêt yma. Digon o lonydd, llonydd go iawn. A lot o hwyl. Ella dy fod di'n gwybod erbyn hyn pam ddaru mi gymryd y goes. Dw i'n gyfa rŵan.

Co

Stopiodd. Ystyriodd. Dim ond newid yr *o*.

Cariad,

Emyr

'Ac at bwy wyt ti'n sgwennu rŵan?'

'Teleri.'

Ennyd o ddistawrwydd. Ac ella nad oedd. Doedd o ddim yn siŵr.

'Dwyt ti ddim wedi sôn amdani hi wrtha i.'

Yr un llais ag arfer oedd o. Yr un oslef ag arfer. Ella.

'Mae hi'r un dosbarth â fi.'

'Ydi hi, rŵan?'

Cerydd oedd hynny, yn ddiamau. Dechreuodd wenu.

'Ac rwyt ti'n ffond ohoni debyg?'

Cerydd a hanner.

'Ydw.'

'Paid â chwerthin am ben y beth fach mewn lle mor ddiarth! Fasai ddim gwell i ti witsiad nes bydd dy lais clir di wedi torri fel dyn cyn i ti ddechra cyboli hefo rhyw ferchaid?'

'Teleri ydi hi.'

'O.'

Doedd y saib rioed yn dynn? Cododd Emyr ei lygaid.

'Fydda arni hi ofn y beth fach?'

'Dim peryg!' rhuthrodd yn frwd. 'Mi fasa hi'n gwirioni.'

175

Saib arall.

'Dyna chdi 'ta.' Ac un arall. 'Gwadd hi acw.'

'Uffar gors!'

'Paid â rhegi mewn lle fel hyn!'

'Siop ydi hi'n Duw.'

Gwadd Teleri acw. Roedd ganddo gymaint o ryfeddod wrth ei ochr â dim a fedrai'r un llyfrgell ei gynnig. Roedd ar roi'r cardyn yn y blwch postio. Tynnodd ei law yn ôl ac aeth ar un pen-glin i ychwanegu ôl-nodyn.

> Dim ond chdi ne' Kate a Mos s'gin i i sgwennu atyn nhw. Nid dyna pam dw i'n sgwennu atat ti chwaith.

Awê. Diflannodd y cardyn o'i law. Peth braf oedd bod yn rhy hwyr i ailfeddwl.

Ar fwrdd cinio bychan yn llawn o datws newydd a chig a grefi fel tasach chi adra y penderfynwyd peidio â mynd ymhell ar ôl teithio'r nos, ond i chwilio am le i aros cyn agosed ag y medrid hefo caeau o'i gwmpas yn hytrach na cheir a loris trymion.

'Lle 'dan ni rŵan?'

'Dulyn.'

'Deud hynna un waith eto!'

Ella medrwn i gael gwaith yn fa'ma hefyd. Tasa hi'n mynd yn boitsh a nhwtha'n trio 'ngorfodi i i fynd yn ôl atyn nhw. Ddeuan nhw fyth o hyd i mi yn fa'ma.

'Deud rwbath fel medar rhywun dy ddallt di, hogyn.'

'Roedd dyn y garej 'na bora wedi gwirioni'i ben ar y fan. Isio i chi fynd â hi i Cill Áirne a'i gwerthu hi i'r amgueddfa geir yno, medda fo.'

'Mi gâi o amgueddfa cawn i afael arno fo. Lle 'dan ni rŵan 'ta?'

'Rydan ni ar y lôn iawn.'

'Sut gwyddost ti, a nhwtha i gyd yr un fath yn union â'i gilydd? Mi fedri di ddarllan y mapia 'na?'

'Medra siŵr.'

Roedd pawb oedd yn dymuno mynd heibio'n gallu mynd, felly doedd yr A35 ddim yn dal neb yn ôl. Roedd pob llygad ym mhob drych wrth fynd heibio. O dipyn i beth roedd y drafnidiaeth yn llacio, ond yr un oedd cyflymdra'r A35.

'Dyma fo, ylwch,' meddai Emyr o weld y ffordd yn codi at gylchfan ychydig i ffwrdd. 'N4 – Sligeach. Trowch yn fa'ma.'

'Yr hen bitsh iddi.'

'Pwy?'

'Hilda 'nghneithar, yr hen bitsh fach.'

'Pam honno rŵan? Hei! Trowch!'

'Paid â gweiddi, yr ocsiwnîar teirw.'

'Cerwch reit rownd 'ta!'

Ddaru hi ddim chwaith, dim ond troi y munud olaf. Daeth gwich brêc o'u hôl.

'Be mae'ch cneithar wedi'i wneud?' gofynnodd Emyr pan deimlodd ei bod yn ddigon diogel i wneud hynny.

'Deud wrtha i am fynd i Werddon.' Roedd y llais yn sbeitlyd, yn amlwg yn trio dynwared. 'At 'y nhebyg, medda hi. Pawb yn 'i garpia yn fan'no.'

'Pryd ddudodd hi hynny?'

'Mae hi'n 'i ddeud o rioed yr hen bitsh fach. Welis i neb yn 'i garpia yma.'

'Dydach chitha ddim chwaith.'

Yna roedd Gerda'n rhythu'n sur iawn o'i blaen. Roeddan nhw ar draffordd.

'Ro'n i'n meddwl 'mod i wedi rhoi gordors i chdi ddod o hyd i lonydd bach i mi!'

''Rhoswch i ni fynd i'r wlad yn gynta.'

'Be 'di'r holl gaea 'ma ond gwlad?'

'Daliwch i fynd. Mi gawn ni droi toc. Rydach chi'n dreifio'n iawn prun bynnag. Be 'di rhyw rowndabowt bach ne' ddau rhwng mêts?'

'Paid ti â deud wrtha i be 'di dreifio, y cyw blwydd. Chwilia'r llyfr mapia 'na i mi gael dreifio fel dw i'n dymuno ac i ohirio dy siom ditha.'

Roedd y cwbl ar yr un gwynt.

'Pa siom?' heriodd yntau.

'Mi wyddost.'

Ond roedd yr ateb yn hawdd.

'Streips a phatshys a gwaed 'tanyn nhw ydi pob siom ges i rioed. Nid ynysoedd na hiraeth gwneud.'

'Chafodd y beth fach rioed ddim byd felly. Damia hen bobol.'

'Hidiwch befo,' meddai yntau. 'Dw i wedi cledu iddyn nhw.'

'Tasa hynny'n wir fasan ni ddim yma rŵan.'

At yr asgwrn braidd. Roedd yn bryd troi'r stori.

'Cadwch i'r chwith mewn rhyw filltir os 'dach chi isio lôn gulach.'

Faint oedd cardyn yn ei gymryd i fynd o Werddon tybed? Be tasa mam neu dad Teleri'n ei gael ac yn ei roi o i Drysorydd Côr y Bôr a'i wraig – wps! Dad a Mam – neu i'r plismyn cyn i Teleri ei weld? Damia. Mi ffonia fo hi ymhen rhyw dridia. Roedd rhif ffôn Teleri wedi bod yn rhywbeth hawdd iawn i'w ddysgu er nad oedd o hyd yma wedi bod ar iws.

Ond roeddan nhw yn Iwerddon. Roedd o'n edrych ar ffyrdd yn yr atlas newydd ar ei lin ac yn methu credu eu bod yn tramwyo'r union ffyrdd hynny. Ac roedd ganddo feic i fynd ar hyd-ddyn nhw pan fyddai'r beth fach yn gorffwys.

'Pam ydach chi'n gwneud hyn?' gofynnodd yn sydyn.

'Pam trwsist ti lôn y beth fach?' gofynnodd hithau fel siot.

Roedd yr ateb i hynny'n hawdd hefyd.

'I wneud lle i chi, nid i blydi hers.'

'Dyna ti wedi atab dy gwestiwn dy hun. A phaid â rhegi,' ychwanegodd yn y llais tyneraf.

Cafodd ei dymuniad, a daeth yr A35 oddi ar y draffordd. Roedd gwaith gyrru a chyfarwyddo'n gwahardd sgwrs am dipyn, a phan ddaethant i ffordd glir a gwag distawodd y cyfarwyddiadau ac ni ddaeth dim yn eu lle. Roedd Emyr yn fwy na bodlon i edrych o'i gwmpas a thrio ymgyfarwyddo â rhifau'r ceir ysbeidiol. Cawsai orchymyn i chwilio am arwydd gwesty ond doedd o ddim yn ffansïo'r un o'r ddau a welsai hyd hynny. Canolbwyntiai Gerda'n gyfan gwbl ar y ffordd o'i blaen, yn amlwg yn gweld dim arall, a'r gwefusau tawel yn dal i fynd, yn troi meddyliau'n siapiau anghlywadwy. Mentrodd.

'Ydach chi'n wrach 'ta?'

Y cwestiwn yr oedd arno isio'i ofyn o'r dechrau un. Ond roedd y wich a gafodd yn ateb yn llenwi'r lle.

'Liciat ti imi dy stiwio di, y corrach?'

Gwich mi droean ni'n ôl ac am adra y munud yma. Dim i boeni yn ei gylch.

'Dw i wedi byw hefo pobol sy'n casáu pobol 'fath â gwrachod,' meddai o'n ddigyffro.

179

'Y?'

'Ro'n i'n meddwl nag ydach chi i fod i ddeud 'Y'.' Yn fwy digyffro fyth. 'Mi ddaru ni broject ar wrachod yn 'rysgol.'

'Gwneud be?'

Tybed oedd hi'n falch o gael gofyn hynny? Chwiliodd o y wyneb. Ond doedd dim o'r newydd i'w gael yn fan'no.

'Astudiaeth 'ta,' cynigiodd.

'Paid â'u rhaffu nhw.'

'Do wir. Gwrachod y gwledydd. 'U hanas nhw a'r ffor roeddan nhw'n cael 'u trin, rhai 'fath â gwrachod Salem yn Merica. Sgynnoch chi lyfr arnyn nhw?'

'Nacoes debyg. Llyfr, wir.'

'Mi fuon ni wrthi am tua pythefnos. Doedd dim llawar o gamp darganfod bod y rhan fwya o wrachod yn llawar mwy diddorol a defnyddiol ac yn llawar llai peryg na'r bobol sydd wedi bod yn 'u hela nhw ar hyd y canrifoedd.'

Triniodd Gerda'r wybodaeth am ychydig. Mentrodd droi ei phen am eiliad i roi cipolwg drwgdybus arno. Gwenodd yntau'n ôl yn braf arni.

'Oeddat ti'n credu hynny?' gofynnodd yn y man.

'O'n siŵr. A mi ges 'u hannar nhw i gytuno.'

A'r hannar hwnnw'n cynnwys Teleri. Siot, mêt.

'Doedd yr hannar arall ddim, decini.'

''Daeth hi ddim yn ddadl. Roedd Teleri'n cytuno hefyd.'

'Chdi a dy Deleri bob munud!'

Arafodd yr A35 yn syth. Stopiodd, ar ganol y ffordd. Diffoddodd yr injan.

180

'Be sydd?' gofynnodd o.

'Mae isio i ti ddallt un peth rŵan hyn!'

'Mi fasa'n well i chi fynd i'r ochor yn gynta.'

'Hidia di befo am hynny. Mae 'na betha pwysicach o lawar iawn. Wyddost ti y medri di fynd i helynt hefo rhyw ferchaid?'

'Dim rhyw ferchaid ydi Teleri.'

'Paid â f'atab i'n ôl! Mi fedrat ddifetha dy fywyd bach hefo nhw!' Yna ar ei phen. 'Wyddost ti o lle mae babis yn dŵad?'

'Gwn. Mae 'na dri chant saith deg dau'n dŵad o Abertawe, a hannar cant o Sir Fôn yn rwla, a . . .'

'Adra! Adra'r munud yma!'

Ond 'daethon nhw ddim. Roedd car yn canu'i gorn y tu ôl iddyn nhw. Ailgychwynnodd yr A35 yn ddigon pigog a chyn hir roedd afon, afon a digon o led iddi i fod yn ddiddorol. Ella'i bod hi rŵan yn amser chwilio am westy i'r beth fach. Ond roedd y cwestiwn.

'Wel?'

'Wel be?' gofynnodd hithau'n flin.

'Ydach chi?'

'Ydw i be?'

'Yn wrach?'

'Paid â holi'r beth fach bob munud.'

Come play with me;

Roedd y llais yn well yma.

Why should you run
Through the shaking tree
As though I'd a gun
To strike you dead?

181

When all I would do
Is to scratch your head
And let you go.

'Dal i siarad hefo chdi dy hun wyt ti?' gofynnodd y llais arall.

''Dach chi'n sleifar o ddynas.'

14

When all I would do
Is to scratch your head
And let you go.

'Dw i'n licio honna hefyd. Be 'di'r ots na chyrhaeddwn ni Sligeach tan fory? A chymryd y gwnawn ni fory. Mae'n siŵr bod Inis Fraoigh wedi hannar sincio gan bobol bellach, prun bynnag. Lot o dwristiaid.'

Roedd goleuadau'r gwesty yn nhop yr ardd, a sŵn yr afon yn dod o'i gwaelod. Roedd y beic wedi bod am dro. Roedd wedi cyrraedd ciosg ac wedi ffonio, neu wedi ceisio ffonio. Doedd y cyfarwyddiadau ar sut i ffonio i Gymru ddim yn ddigon clir, iddo fo beth bynnag, a doedd o ddim yn siŵr iawn oedd o'n dweud diolch am hynny. Roedd ffonio adra a chael sgwrs gyfeillgar ddi-hid yn swnio braidd yn fwy hurt mewn ciosg diarth nag mewn arddangosfa dawel.

Ond roedd y dent i fyny ar lan yr afon. Dim problem yn y byd. A neb ond yr afon i wrando.

'Twrist ydw inna hefyd. A Gerda. Naci. Y beth fach yn dwrist! Nefi! mae'n braf yma.'

Ar ôl bod am dro ar ei feic roedd wedi dychwelyd i'r dent ac wedi cysgu. Heb yn wybod iddo, dim ond wedi gorwedd am eiliad ar ben y sach i werthfawrogi'i stad. A chysgu y buo fo tan i Gerda ddod i weiddi arno ei bod bron yn saith ac yn amser bwyd. A hwnnw'n fwyd.

> *for always night and day*
> *I hear lake water lapping with low sounds by the*
> *shore;*

'Mae hi'n grêt yma.'

Roedd tro ar yr afon, a cherrig bychan crynion yn ei ochr o. Roedd o'n eistedd arnyn nhw. Roedd o'n gallu gwneud hynny, y tywyllwch amdano, sêr clir uwchben, awyr gynnes am ei freichiau a'i goesau. A llonydd.

A sgodyn yn neidio. Reit ar ganol y tro. Dim ond llwyddo i weld ei siâp o ddaru o. Ond o graffu gallai weld y cylchoedd yn tyfu ac yn colli yn y lli bychan. Roedd ei lygaid yn effro, yn chwilio'r dŵr yn awchus am un eto. Ond doedd dim ond sŵn bychan hyfryd y dŵr a thawelwch.

'Dw i am anfon cardyn iddyn nhw o Sligeach, o Inis Fraoigh, a dim ond y gair 'Diolch' arno fo. Maen nhw'n siŵr o'i ddallt o.'

Ac wedyn mi fedran nhw gyfri'r geiria ar gardyn Teleri os oeddan nhw wedi cael 'u bacha arno fo.

''Ta fydd hynny'n rhy greulon?'

Creulon. Hen, hen fyd.

'Be sy 'nelo nhw â'r ochor honno i'r gair?'

Ac ar y cardyn arall mi gân nhw ddarllan y gair o flaen 'Emyr'. Roedd y syniad o sgwrs gyfeillgar dros y ffôn yn fwy diarth na dim oedd gan wlad arall i'w gynnig.

'*I will arise and go now, and go* lle fydd neb i f'atgoffa i bod y Trysorydd yn uffar o gês a'u bod nhw'n cael lot o hwyl hefo fo yn y côr. Gan na fedran nhw ddim blydi canu waeth iddyn nhw gael hwyl hefo fo ddim.

Nant y mŷ-nydd ar Ben Wyddfa'n
Boddi mŷ-lod Côr y Bôr . . .'
'Helô? Hei! Lle'r wyt ti? Wyt ti yna?'
Roedd y llais main yn hyfryd. Rywle ar goll yng nghanol yr ardd wag.
'Fa'ma,' atebodd heb weiddi.
'Lle 'di dy fa'ma di?'
Ond roedd y llais yn nes.
'Wrth yr afon yn fa'ma.'
'Be wyt ti'n 'i wneud yn fan'na yn nhwllwch nos ddiarth?'
'Bod yma.'
Cyrhaeddodd Gerda dan chwythu braidd.
'Pam nad wyt ti yn dy wely a hitha wedi hannar nos?' canlynodd arni â'i cherydd.
'Welis i rioed neb yn gofyn cwestiyna haws 'u hatab na chi.'
'Be?'
'Mae'n rhy braf. Pryd gwelsoch chi sêr mor glir o'r blaen?'
Cododd y pen.
'Dibynnu pa mor lân ydi'r sbectol, debyg,' ychwanegodd o.
'Twt! Laweroedd o weithia.' Daeth y pen i lawr yn ôl. 'Mae'n well gen i sêr y gaea, pan mae'r ffigar-êt yn awyr y de.'
Uffar gors! Dyna fendith arall byd newydd.
'Do'n i ddim yn gallu syllu ar Orion o 'ngwely i. Dim ond o'u llofft nhw roedd o i'w weld.'
Byth eto.
'Sôn am wâst ar sêr da.'
Byth eto.

Roedd wedi troi i eistedd yr un ffordd â'r afon a blaen ei fys yn chwarae'n ddioglyd yn y dŵr. Tasai pethau'n mynd yn ddrwg . . . be haws? Caergybi a chwch. Yr *Innisfree* gefn nos. A dim ond cymylau'r gaeaf i'w atal rhag syllu pryd fynno fo ar Orion a Sirius. Ac ella gwneud hynny hefo Teleri a . . .

'Oes gen ti ddim hiraeth, oes?'

Prin glywadwy uwch sŵn bach yr afon oedd y llais.

'Dim un blewyn,' atebodd ar ei union. 'Dim un hadyn. Dim.'

A wyddai o ddim pam roedd hi wedi gofyn hynna rŵan.

'Wyt ti'n ddigon siŵr i roi dy law ar dy galon?'

Fedrai hi ddim bod yn gallu gweld ei wyneb. Be oedd arni?

'Ydw,' atebodd. 'A cha i ddim poen chwaith.'

'Mae gen ti atab i bob dim.'

'Nac oes. Dim ond i rai petha.'

Mae'r cardyn yn cyrraedd a Teleri'n ei godi ac yn dechrau ei ddarllen wrth gerdded i'r gegin o'r drws ffrynt. Annwyl Teleri . . . Ond cyn darllen rhagor mae'n ei droi drosodd i werthfawrogi'r cynllun a'r *Bonum*. Mae'n ei droi'n ôl ac yn ailddechrau darllen ond mae ei mam a'i thad yn ei gipio o'i llaw ac yn gweld oddi wrth bwy y mae o ac maen nhw'n rhoi uffar o ddam iddi dan weiddi dros y tŷ am feiddio gwneud dim â rhywun fel fo, fo o bawb ac ynta wedi dwyn gwarth ar ei deulu a phob teulu arall a meiddiad hi wneud dim ag o eto ac maen nhw'n mynd â'r cardyn oddi arni cyn iddi weld y gair cariad ac mae hi'n eu coelio nhw ac yn anghofio amdano fo am byth.

'Mi fasa'n brafiach i chitha gampio hefyd.'

Prin orffen ei sylw gafodd o.

'Be haru ti'r lwmpyn gwirion? A finna'n ddwy ar bymthag a thrigian ac wedi cysgu yn 'y ngwely fy hun drwy f'oes?'

'Be 'di'r ots? Mae campio'n sleifar.'

'Ac wyt ti'n meddwl y gadawn i i rwbath 'fath â chdi weld y beth fach yn 'i phais a'r un hen ddyn wedi cael twtsiad pen 'i fys yno' i rioed?'

Chwarddiad bychan clir ar y cerrig cynnes. Bywyd yn ddisymwth yn sleifar o'r newydd. Ond doedd hi ddim yn gwerthfawrogi hynny.

'Ia, chwertha di am 'y mhen i.' Roedd sŵn cael cam lond ei llais, ond dim ond am ennyd. 'Chdi a dy gampio. Rwyt ti'n lwcus bod pobol y gwesty 'ma wedi gadael i ti gael codi dy dent yn yr ardd. Rwyt ti'n cael dy ddifetha'n lân rhwng pawb.'

'Dibynnu be 'di difetha. Pam nad ydach chi yn ych gwely 'ta?'

Gwyddai pam. Synnai o ddim nad oedd hynny o gwsg a gafodd hi ar y llong yn llawn cymaint ag a gâi bob noson arall.

'Ro'n i yn'o fo ers meitin. Ond dyma fi'n meddwl tybad ydi'r trychfil bach 'na'n cysgu 'ta ydi o'n llyffanta hyd y lle 'ma yn nhrymdar nos.'

Roedd o'n disgwyl gorchymyn siort arall ond ddaeth 'na'r un.

'At yma mae'ch ffenast chi'n wynebu?' gofynnodd.

'Be wn i, hogyn? Busnesa wirion drwy ffenestri pobol.'

'Ydach chi'n licio'r lle 'ta?'

'Mae o'n llawn o betha crand, ond wela i ddim bod yr un ohonyn nhw'n golygu dim i neb.'

187

Pot o flodau plastig llachar rhwng dau gi gwydr glas a gwyn ar sil ffenest fagnolia. Un llyfr ar bren smalio dilychyn uwchben llun ysgol heb cweit ddigon o wên blastig ar yr wyneb hen fyd. Os oedd y llun yno o hyd. Be olygai pethau felly i neb? Ystrydeb o geiliog ffesant yn bopeth ond ystrydeb yng nghanol pwysi o hen lwch a dylni tywyll hen baent. Dyna oedd golygu.

Doedd gorchymyn na cherydd ddim am ddod eto chwaith.

'Mi glywis i sgodyn yn neidio gynna,' meddai o'n dawel frwd yn y man. 'A mi welis 'i gylchoedd o, reit yn fa'ma.'

'Dos i dy wely rŵan 'ta, ne' mi fydd y beth fach yn poeni amdanat ti drwy'r nos.'

Symudodd o ddim, dim ond dal i synfyfyrio ar y dŵr.

'Ella y 'rhosa i yma.'

Roedd o wedi trio llais tawel, yn yr hanner gobaith y byddai hi'n clywed, yn yr hanner gobaith na fyddai hi ddim. Ond roedd gwaedd siort.

'Dos am y dent 'na! Mi fyddi wedi starfio erbyn y bora.'

'Naci.' Doedd waeth ei menrtro hi dros ei ben ddim, felly. 'Yn Werddon.'

'Wyt ti'n gall?' seiniodd y wich.

'Mi ddudoch chi ych bod chi'n gallu nabod mewn tri munud.'

A dyna'i sodro hi. Naci. Nid perthynas felly oedd hi.

'Rwyt ti'n dal ar goll, 'twyt?' meddai hi'n llawer tawelach. Bron nad oedd ei llais yn famol.

'Waeth i mi yn fa'ma ddim.'

Roedd yn dal i bensynnu at y dŵr, yn dal i obeithio

am naid sgodyn arall. Yna, yn clywed ei eiriau ei hun, cododd ei ben. Ceisiodd ei lygaid lygaid arall ystyrlon drwy dywyllwch braf y nos.

'Naci, nid dyna'r o'n i'n 'i feddwl. Mi fedar fa'ma olygu rwbath. 'Run fath â tŷ chi i chi. Mi fedrwn gael llonydd i wneud rwbath ohoni yn fa'ma.'

'Dwyt ti ddim mewn cyflwr i deimlo petha fel'na eto.'

'Ydw. Ers blynyddoedd.'

Doedd o ddim yn taeru.

'Gad i'r bora clir benderfynu petha o bwys,' dyfarnodd hithau. 'Nid dyma'r adag i wneud hynny.' Daeth awgrym o gerydd i'r llais. 'Oes arnat ti isio 'ngweld i'n rhynnu i farwolaeth lonydd heno rŵan?'

'Go brin.'

'Dydw i ddim am symud cam nes byddi di yn y dent 'na ac yn dy wely.'

Roedd o a'i lygaid arni o hyd. Yn nhywyllwch braf y nos roedd dau bâr o lygaid yn dyheu cysylltiad. A dyna'r pryd y penderfynodd y pysgodyn neidio eto.

'Glywsoch chi o?' gofynnodd Emyr fel siot.

Roedd popeth arall yn angof am eiliad.

'Be d'wad?'

'Y sgodyn eto.' Chwiliai llygaid eiddgar y dŵr, a'r eiddgarwch yn troi'n siom braidd bron ar unwaith. Gwelai'r cylchoedd yn tyfu. 'Hwnna ydi o, 'chi. Dyna sy'n cyfri. Mae'r sŵn yna'n bod cyn bod clustia i'w gl'wad o. Ylwch, mae'i gylchoedd o wedi cyrraedd y lan.'

Roedd bys yn y dŵr yn dilyn cylch.

'A mae'r rheina'n bod cyn bod llgada i'w gweld nhw, decini. Mae isio gwell llgada na sy gan y beth fach i'w gweld nhw rŵan, beth bynnag. Tyrd rŵan. Am y dent 'na.'

Plygodd Emyr. Roedd sŵn ei law'n chwarae â'r dŵr yn hen ddigon clir.

'Paid ag yfad y dŵr 'na!'

'Do'n i ddim,' atebodd yntau'n ddi-stŵr. 'Dim ond 'i godi fo i'w deimlo fo.'

'Meddwi'n lân mewn pnawn,' meddai hithau'n ochenaid i'w chofio. 'Be wnawn ni hefo chdi, d'wad?'

'Dim ond llonydd dw i 'i isio. 'Fath â chi.'

Roedd y corff bychan tywyll uwch ei ben mor llonydd, mor llonydd.

'Mi fedrwn gael gwaith yma,' triodd yntau.

'Gwaith!' Ar ei hunion, mor sgornllyd â dim y clywsai o hi'n ei ddweud o gwbl. 'A maen nhw'n mynd i roi blaenoriaeth i ti ar 'u pobol 'u hunain?'

'Mae 'na ddigon o waith yma, meddan nhw,' rhuthrodd yntau, a'i lais yn codi.

'Mygu hiraeth mewn gwaith.'

'Does arna i ddim blydi hiraeth!'

'Paid ti â siarad fel'na hefo'r beth fach!'

Roedd hi'n ornest weiddi ddirybudd a diymdrech. Dychrynodd hynny fwy na dim arno.

'Sori!' rhuthrodd ar ei thraws. 'Does arna i ddim hiraeth.'

Roedd hynny'n llawer tawelach.

'Be am y ffansi ledi, 'sgwn i?' Roedd hynny hefyd. 'Oes gen ti ddim hiraeth am honno?'

Oes.

'Dydi hi ddim yn ffansi ledi. Teleri ydi hi.'

'Paid â throi'r stori.'

'Oes.'

190

Mi glywodd hi hynny hefyd.

'Isio gwneud pres sy arnat ti?' gofynnodd Gerda wedyn, a'r cerydd heb ddiflannu'n llwyr.

'Dim ond i 'nghadw,' atebodd yntau'n syml. 'Dim ond f'annibyniaeth. 'Fath â chi.'

Annibyniaeth ydi mynd adra a siarad hefo nhw a phenderynu aros ne' fynd. Aros! Ond dyna pryd y bydda i'n annibynnol. Teleri yno hefo fi, a ninna'n dau yn deud be ydan ni am 'i wneud, prun ydach chi'n licio ai peidio. Dyna ydi annibyniaeth.

'Be oeddat ti'n 'i ddeud rŵan?'

'Dim ond f'annibyniaeth.'

'Ella . . .' dechreuodd Gerda.

Cododd Emyr ei ben fel siot. Roedd Gerda'n petruso. Am y tro cynta, ella yn ei hanes, meddyliodd yn sydyn, roedd hi fel tasai hi'n methu gwybod be i'w ddweud. Damia'r tywyllwch.

'Ella be?' gofynnodd yn chwilfrydig.

'Ella bod y beth fach yn ddylanwad drwg arnat ti,' rhuthrodd hithau ar ei hunion.

'Nac 'dach!' seiniodd llais clir clir dros yr ardd a thros yr afon.

'Dyna mae pawb yn 'i ddeud rioed,' meddai hithau'n rhesymol a thrist.

Chi sy'n meddwl hynny. Ella mai isio meddwl hynny ydach chi. Eu creu nhw eto. Dyna ydi annibyniaeth. Llwyddo i beidio â chreu petha felly. Mi fydda i'n fwy annibynnol na chi er mai chi 'dysgodd fi.

'Be?'

'Wyddan nhw ddim amdani. Waeth gen i lle'r ydw i, ar y pafina 'ta ar lanna'r afonydd. Threchan nhw mohono i mwy na chitha.'

Doedd o ddim wedi bwriadu swnio mor herfeiddiol. Diolch am dywyllwch i guddio gwrid. Roedd o'n casáu hynny rioed.

'Ofn i hen betha gymryd mantais,' meddai Gerda toc.

'Arna i?' Herfeiddiol eto. Gwrido eto. 'Anghofiwch nhw.'

Mos yn y farchnad. Dyn crys yn y farchnad. Bysedd be wna i nesa ar lyw car plismyn. Sŵn car yn dynesu ac yntau heb gyrraedd y tro wrth lenwi'r tyllau. Anadl yn methu dod o hyd i le wrth i gefn fagio yn erbyn pared. Diolch am dywyllwch.

'Wyddoch chi be arall brynis i yn y garej?' gofynnodd i droi'r stori er mwyn popeth.

'Be?' gofynnodd hi, yn dallt.

'Stôf gampio. Mi feddylis yn sydyn wrth ei gweld hi na fyddai honno'n creu blas mwg ar bysgod.'

'Be wnei di â physgod yr adag yma o'r nos?'

'Dowch i'r dent am banad hefo fi.'

''Tydi hi'n rhy hwyr, hogyn!'

'Dw i wedi'ch cl'wad chi berfeddion nos adra,' atebodd yntau ar ei union.

Am ennyd tybiodd ei fod wedi'i chornelu. Ac yna roedd o'n gwrido fwy fyth. Pa hawl oedd ganddo fo i roi copsan iddi? Busnesa yn y petha. Damia unwaith.

'Be wna i ohonot ti d'wad?' gofynnodd hithau'n dawel, yn llawer tawelach na'r tempar sydyn a ddylai frathu drwy'r lle.

'Be rŵan?' gofynnodd yntau'n llywaeth.

'Yn deud adra am dŷ'r beth fach.'

'Ydi ots gynnoch chi?'

192

'Nac 'di, am wn i. Dim ond 'i fod o'n swnio'n rhyfadd.'

A dyna hynna. Hen fêts.

'Mi a' i i'w thanio hi 'ta,' meddai o.

Cododd. Neidio'n ysgafn rydd ddeheuig ar ei draed a sŵn y cerrig bychan yn cyd-ddathlu odano. Aeth heibio i Gerda. Cyffyrddodd ei braich â'i fysedd wrth fynd, cyffyrddiad naturiol hen law. Os mêts. Arhosodd hi ble'r oedd, yn ei wylio'n mynd, a'i braich hen yn braf.

'Cawn i afael ar y cythreuliaid 'na driodd ddifetha bywyd y peth bach 'ma . . .'

'Ydach chi'n dŵad?' clywodd ei lais yn pellhau.

'Waeth i mi gysgu tan wyth mwy na phump. Fydd 'na ddim byd i mi i'w wneud yma ben bora.' Cododd ei llais. 'Aros 'ta.'

Cychwynnodd y camau gofalus dros y gwellt diarth. Ymhen dim roedd golau matsen a sŵn bychan ffyrnig nwy yn tanio yn dangos ei ffordd iddi. Nid oedd ar feddwl cynnig mynd i'r dent. Rêl hwn i gymryd yn ganiataol y medrai ei chorff bach hi fod yn ddigon ystwyth i blygu i mewn drwy dwll fel twll llgodan. Cymerodd ei phaned chwilboeth dderbyniol ar ei sefyll, a honno cystal bob llymaid â'r un yr oedd o'n ei gwneud iddi adra. Eisteddodd o groes-ymgroes rhwng y dent a'r stôf gampio. Prin glywadwy oedd sŵn yr afon islaw.

'Ydach chi'n licio?' gofynnodd o toc.

'Gorffan dy gwestiyna blêr, hogyn. Licio be?'

'Ych bod chi wedi dŵad.'

'Am un o'r gloch bora?'

'Ia'n Duw.'

'Ydw,' petrusodd. 'Ydw,' ychwanegodd bron ar yr un gwynt. 'Ar yr amod dy fod di'n mynd i'r dent 'na'n syth wedyn. A chysgu yn sŵn dy bysgod.'

'Dyna chi'n siarad sens rŵan.'

Gorffennwyd y te. Golchwyd y ddau fŷg yng ngweddill dŵr y fflasg. Aeth y traed bychain yn araf ar eu taith ddiarth yn ôl i foethusrwydd diarth y gwesty. Gwag fu'r dent. Aeth o â'i sach cysgu a'i obennydd i lawr at yr afon, a'u gosod yno ar y gwellt uwchben y tro a'i gerrig bychan difyr. Tynnodd amdano a swatio'n hapus yn ei sach a chysgu bron ar unwaith wrth wrando am ei bysgodyn.

15

Digonedd o straeon pytiog, a mwy nag un fersiwn o
ambell un nad oedd posib eu cysoni. Yn yr un cywair,
tair barn oedd yn gwrthddweud eu hunain heb sôn am
ei gilydd. A dim rhif ffôn.

'Ella'i fod o'n anghyfrifol erbyn rŵan inni beidio
deud,' meddai Moses yn y diwedd.

'Wrth bwy?' gofynnodd Kate.

Roedd y ddau wrth y tŷ eto. O fethu cael gafael ar
rif ffôn y ddynes roeddan nhw wedi dychwelyd i'r
parthau ac wedi holi yma ac acw ar ôl cael y tŷ yn wag
a'r llenni brau'n gorchuddio'r ffenestri am yr eildro a'r
ieir allan. O ddychwel gyda'r nos roedd y tŷ yr un fath
a'r ieir duon wedi'u cau i mewn. Rhwng yr
ymweliadau roedd y ddau wedi holi yma ac acw heb
geisio ymddangos yn rhy fusneslyd a heb fynd i guro o
ddrws i ddrws. Prin oedd y drysau i wneud hynny prun
bynnag. Eu hunig gyfle arall oedd siop a garej ac un tŷ
heb fod nepell yr oedd ei breswylydd oedrannus yn
cael smôc wrth bwyso ar y giât fechan o flaen y drws
ffrynt. Yr unig gasgliad petrus y gellid dod iddo o
geisio crynhoi popeth o'r tair sgwrs oedd bod y ddynes
oedd piau'r tŷ bychan yn rhyfedd ond yn ddigon
diniwed yn y diwedd. Ella.

'Mae'n anodd gen i gredu bod 'na le inni boeni
hefyd,' meddai Moses wedyn, yn dal i sbaena'n ofer o'i
amgylch, yn dal yn gyndyn o adael.

'Pedair ar ddeg ydi o,' atebodd Kate.

Cerddodd y ddau'n ôl yn araf at y car.

'Wrth bwy 'ta?' gofynnodd o yn y diwedd.

*   *   *

'Dacw hi'r bont. Trowch i'r dde cyn dŵad ati hi.'

Roeddan nhw wedi pellhau o Sligeach ac Inis
Fraoigh yn hytrach na dynesu atyn nhw. Roedd y
mymryn lleiaf o anesmwythyd a deimlai Emyr am mai
fo ar un wedd oedd yn gyfrifol am hynny wedi hen
ddiflannu. Dim ond bachu un o bob un o'r pamffledi
oedd yn bentyrrau yn nerbynfa gwesty'r noson cynt
oedd ei ran o yn y penderfyniad. Y munud y clywodd
Gerda fo'n darllen am amgueddfa yn Brú Rí wrth
fwrdd eu brecwast cynnar ac yntau'n darganfod yn yr
atlas bod digon o ffyrdd bach ar gael i gyrraedd y
pentref roedd hi wedi mynnu eu bod yn mynd yno rhag
ofn iddo fo feddwl nad oedd gan neb 'blaw fo
ddiddordeb mewn rhywun o'r Werddon. Roedd gan y
beth fach barch mawr at De Valera rioed ac roedd isio i
Emyr ddysgu amdano fo.

'Nefi! Mae 'na sleifars o afonydd yma.'

'Ydi'r ffansi ledi 'na'n sleifar hefyd?'

'Y?'

'Fasai ddim gwell i ti ddechra ar ansoddeiria dy iaith
fach dy hun cyn mynd ati i gyboli hefo rhyw feirdd
diarth?'

'Be 'di ansoddeiria?'

Roedd rhyfeddodau newydd beunydd. Dim ond
heddiw roedd o wedi dechrau gwerthfawrogi sŵn yr
A35. Am nad oedd lawer o ymdrech wedi'i gwneud
i'w gaboli roedd yr amrywiaeth o gêr i gêr ac o sbîd i

sbîd yn llawer difyrrach na'r un car arall y bu ynddo. Rhwng y sŵn ysblennydd hwn a'r oglau, doedd gan gar Mos hyd yn oed ddim gobaith. Sori, Mos.

> *I will arise and go now, for always night and day*
> *I hear lake water lapping with low sounds by the*
> *shore;*

Sleifar.

'Dyna hi yn fan'na. Mae 'na arwydd ar y wal.'

Roeddan nhw wedi troi oddi ar y briffordd, hynny o briffordd oedd hi, ac roedd yr hen ysgol oedd yn gartref i'r amgueddfa fymryn o'r golwg ar y dde ymhen rhyw ganllath. Bu munudau o ymgynghori dwys a lled-bigog ac ar eu diwedd aeth Gerda ati i droi'r A35 yn ôl yn epigaidd ofalus ymhellach ymlaen a dychwelyd i barcio o flaen tai ger yr hen ysgol.

'Lle'n union ydan ni?' gofynnodd mewn llais a wnâi i Emyr deimlo'i bod yn ei gyhuddo o o ddyfeisio a chynllunio'r wlad yn un swydd er mwyn ei phlagio hi.

'Wel.' Cymrodd arno astudio'i atlas, oedd bron yn wastadol agored ar ei lin. 'Ar gès rydan ni ryw ugian milltir i'r de o Luimneach. Ac yn ôl hwn mae Inis Fraoigh gan milltir a hannar i'r gogladd o fan'no. 'Di o'm ots nac'di? Mae gen i ddigon o bres i dalu am betrol.'

'Cym di'r ofal.'

'Hei! Mae Afon Sionann yn dŵad i'r môr yn Luimneach fwy na heb. Mi fedrwn ni ddilyn honno yn ôl wrth fynd am Sligeach ella. Uffar gors! 'Dach chi'n . . .'

'Sleifar!' arthiodd hithau ar ei draws.

Doedd dim angen iddo wneud dim ond codi'i fawd hapus arni hi. Yn ôl y pamffled roedd yr amgueddfa'n cau am bedwar, ac ar hyd y daith doedd o ddim yn siŵr a fyddai'r A35 wedi gallu cyrraedd cyn hynny. Ond roedd ganddyn nhw ryw dri chwarter awr erbyn i Gerda gloi'r fan a chychwyn y camau bychan i fyny at y drws. Y peth cyntaf a welodd Emyr yn y pwt cyntedd oedd rhybudd yn dweud bod angen dros awr i gwblhau'r ymweliad drwy ddwy ran yr amgueddfa. Roedd amgueddfa De Valera drwy'r drws ar y chwith a'r amgueddfa bentref yr ochr arall.

'Be wnawn ni?' gofynnodd.

'Mynd i mewn, debyg, a ninna 'di dŵad yr holl ffor,' atebodd Gerda mewn llais hawlio'i hawliau. 'Mi sticiwn i i ochor De Valera gan mai fo rydan ni wedi dŵad yma i'w weld. Go brin bod yr ochor arall 'ma'n ddim gwahanol i unrhyw bentra arall.'

Agorodd Emyr y drws ar y chwith. Roedd desg fechan o'i flaen a dyn go denau mewn siaced frethyn frown golau a chrys sgwariau amryliw a thei lwyd yn eistedd y tu ôl iddi yn sgwennu mewn llyfr. Roedd paneli y tu ôl iddo ac o'i ddeutu'n rhannu'r stafell gan greu llwybr hirgrwn i fynd o amgylch yr arddangosfa. Gwelai Emyr lawer o bosteri a lluniau a dillad a llyfrau. Cododd y dyn lygaid nerfus i edrych ar y ddau'n dod i mewn. Dim ond am eiliad y parodd y nerfusrwydd cyn troi'n dristwch disymwth oedd yn hoelio sylw y munud hwnnw.

'Mae'r lle 'ma'n rhy ddrud,' meddai fel tasai ar ganol sgwrs gwerylgar, 'does 'na ddim synnwyr bod pobol yn gorfod talu cymaint am ddod i mewn.'

Roedd o mor annisgwyl nes tynnu Emyr yn daclus oddi ar ei echel.

''Di o'm ots,' atebodd, yn ffrwcslyd i gyd. Roedd y pris mynediad ar y pamffled prun bynnag. 'Oes gynnon ni amsar?' gofynnodd.

Roedd y dyn yn troi'i olygon yn ôl at ei ddesg, ac yn ysgwyd pen diobaith arni. Roedd ei holl osgo'n union fel tasai newydd gael cerydd.

'Maen nhw isio i mi gau'r lle 'ma union bedwar,' meddai'n ddiflas, heb godi'i lygaid. 'Maen nhw'n cwyno ac yn cega arna i os ydw i funud yn hwyr ac maen nhw'n cwyno mwy am nad oes 'na neb yn dod yma. Pwy maen nhw'n disgwyl 'u gweld yn dod yma i edrach ar betha fel hyn?'

Trodd Emyr at Gerda. Ond roedd golwg hen arfer yn ei llygaid hi. Tybiodd nad oedd hi ella wedi clywed y bregeth. Trodd yn ôl at y dyn.

'Mi ddown ni'n ôl fory siŵr,' meddai.

'Na na,' rhuthrodd y dyn gan godi'i lygaid am ennyd, 'mae'n iawn. Dowch i mewn. Does 'na ddim byd gwerth ei weld yma prun bynnag.'

'Mae'n edrach yn reit llawn i mi,' meddai Gerda ar ei hunion.

'Does 'na ddim byd haws na llenwi lle.'

Trodd Emyr eto at Gerda. Roedd ar goll yn lân.

'Be uffar sy arno fo?'

'Paid â rhegi yng ngŵydd dyn diarth! Isio cau sy arno fo decini. Ddreifia inna ddim llawar mwy heddiw, na wnaf?' Amneidiodd. 'Tyrd. Ella bydd gwell tempar arno fo fory.'

Trodd Emyr yn ôl eto i gymryd cip arall ar y rhyfeddod trist. Cododd y dyn ei lygaid. Roedd rhywbeth tebyg i fraw ynddyn nhw.

'Mae'r lle'n llawn o wleidyddiaeth.'

Dynesodd Gerda fymryn at y ddesg, fel ei bod ochr yn ochr ag Emyr.

'Os nad oes 'na ddigon o amsar . . .' cynigiodd yn llawn rheswm caredig.

'A maen nhw'n meddwl am gau'r lle am 'u bod nhw isio cael gwarad â fi. Dydyn nhw ddim yn gwrando ar y cynigion sy gen i ar gyfar y lle.'

Symudodd Gerda'n nes fyth at y bwrdd. Plygodd fymryn drosto. Sodrodd ei llygaid ar yr wyneb trist.

'Ydi hi'n rhy hwyr?' gofynnodd mewn llais hollol ddiniwed.

'Na, mae'n iawn. Dowch i mewn. Mi fedrwn i droi'r lle 'ma'n rhywbeth amgenach fel bod pobol yn cael addysg o wir werth o ddod yma. Ond wrandawan nhw ddim arna i. Does gynnyn nhw glust i ddim ond i wrando clod i'w petha'u hunain.'

Roedd Emyr yn sicr mai'r un ateb y byddai'n ei roi a hynny yn yr un ffordd sut bynnag y byddai cwestiwn Gerda wedi swnio iddo.

'Dowch i mewn,' ychwanegodd y dyn yn drist. 'Mae o'n rhy ddrud.'

'Gan nad oes gynnon ni ddigon o amsar mi sticiwn ni i'r stafall yma,' meddai Gerda. ''Di o'm llawar o ots gynnon ni am y llall.'

Roedd y dyn yn dychryn.

'Cha i ddim gwneud hynny gynnyn nhw! Mae'r rhan arall cyn bwysicad i gael y cefndir a chael popeth yn ei gyd-destun, beth bynnag mae hynny'n ei wneud sydd o fudd i neb. Mae'n rhy ddrud i chi dalu am weld y cwbwl heb sôn am ddim ond 'i hannar hi. Cael hunanlywodraeth i wneud gwlad well ohoni meddan nhw. Be ydach chi haws â hunanlywodraeth pan mae hogan fach yn cael 'i llofruddio yn 'i chartra'i hun?'

Roedd Emyr yn dechrau bagio. Ond roedd Gerda'n ddigynnwrf.

'Mi gymerwn ni ddau dicad gynnoch chi 'ta. Un i mi ac un iddo fo. Mi ddyla fo fod yn rhatach iddo fo yn ôl y papur llawn lliwia 'na welis i bora 'ma.'

'Ydi. Nid arna i mae'r bai am 'i fod o mor ddrud.'

Cawsant docyn petrus bob un, a throdd y dyn lyfr ymwelwyr iddyn nhw. Sgrifennodd Gerda'i llawysgrifen fechan gam araf. Anghofiodd Emyr bob amheuaeth am y curadur anfoddog am eiliad a rhuthrodd ei ychwanegiad ei hun gan roi'r un cyfeiriad a'i wyneb yn llachar wrth i lygaid gofleidio llygaid. Doedd y wefr ddim mymryn llai nag yr oedd wedi bod wrth wneud yr un peth yn llyfr y gwesty y pnawn cynt.

'Ni pia hi.'

'O Gymru ydach chi?' meddai'r dyn.

'Ia.'

'Mae'n ddrwg gen i nad oes 'ma ddim byd amgenach na hyn ar eich cyfer chi.'

Erbyn hyn roedd o wedi codi ac wedi dod at eu hochr nhw o'r ddesg. Roedd golwg ryfeddol o boenus ar ei wyneb. Doedd dim awgrym o synnu o weld dau mor annhebyg i'w gilydd o'i flaen chwaith. Roedd hynny'n newid bach, meddyliodd Emyr.

'Does 'na ddim byd ond gwleidyddiaeth yma. Mae'n ddrwg iawn gen i am hynny, gorfod stwffio hwnnw i chi. Gwlad felly ydi hi gwaetha'r modd.'

'Wel ia,' meddai'r llais main rhesymol y tu ôl i'r sbectol, 'a'r dyn wedi bod yn wleidydd am dros drigian mlynadd o'i oes fuddiol mi fedrwn ni ddisgwyl rhywfaint o wleidyddiaeth yn 'i amgueddfa goffa fo decini.'

'Mae'n well arnoch chi o lawar yng Nghymru. Rydach chi'n wlad mwy gwaraidd na ni yma.'

'O beth uffar,' meddai Emyr.

Roedd o wedi dechrau edrych o'i gwmpas. Canlynodd Gerda fo. Canlynodd y dyn nhw.

'Yr hogan fach 'na gafodd 'i llofruddio llynedd ger Corcaigh. Pa haws oedd y druan fach honno â hunanlywodraeth i'w gwlad a chwffio a lladd i'w gael o? Dim ond mewn gwlad anwar fel hon y medra rhywun feddwl am wneud peth fel'na.'

'Cael ei chladdu mewn concrit ddaru hi?' gofynnodd Emyr.

Roedd llygaid ar lygaid eto, a Gerda'n nodio.

'A fedrwch chi ddim cael gwaith o gwbwl yma heb gowtowio i'r Eglwys,' cwynodd y dyn heb geisio ymateb i sylw Emyr. 'Sawl swydd mae pobol hollol gymwys wedi trio amdani a chael 'u gwrthod? Mi fasach feddwl mai gwella fyddai hi o safbwynt pethau fel'na ond gwaethygu mae hi bob dydd. Mae'r wlad 'ma'n afiach o'r top i'r gwaelod. Gofynnwch os ydach chi isio gwybod unrhyw beth.'

Trodd a dychwelyd i'w fwrdd. Clapiodd Emyr ei ddwylo'n dawel a chododd Gerda ddwrn bychan diniwed arno. Aethant o amgylch yn araf, Gerda'n aros yn llawer amlach na fo ac yn darllen yn llawer mwy trylwyr na'r cip roedd o'n ei gymryd ar y papurau a'r posteri a'r pethau. Deuai protest am rywbeth yr oedd ei wlad neu ei gyflogwyr neu yr eglwys yn ei wneud neu'n ei gredu neu ddim yn ei wneud neu ddim yn ei gredu yn gyfeiliant cyson iddyn nhw o'r bwrdd yr ochr arall i'r paneli a chasys gwydr yr arddangosfa. Roedd ymddiheuriad ynghlwm â'r brotest yn ddi-feth. Roedd ambell gondemniad yn amlwg yn bwysicach na'i gilydd ac yn gofyn ei gyhoeddi yn y cnawd a chodai'r dyn o'i fwrdd a dod yn un swydd atyn nhw bryd hynny. Ond roedd rhyw undonedd i'r cwbl ac roedd Emyr wedi dechrau colli diddordeb a chanlynai ymlaen drwy'r arddangosfa gan adael Gerda i wrando neu ddioddef.

'Hei?' meddai o cyn hir, yn trio cadw'i sibrydiad i glust Gerda'n unig.

'Be?' gofynnodd hi.

'Ylwch.' Roedd yn pwyntio at gydyn o wallt mewn cas gwydr. 'Gwallt du sy gynno fo yn y llunia 'ma i gyd. Ond mae hwn yn ola. Mae o'n hollol felyn. Oedd o'n 'i ddeio fo?'

'Paid â bod mor ysgafn o'r fath ddyn, y clap!'

'Pam mae o mor ola 'ta?'

'Be wn i? Ella bod y blynyddoedd meithion wedi 'luo fo.'

'Fasa'n well i mi ofyn i'r Bwrdd Croeso?'

'Cym di'r ofal!'

'Ella ma' gwallt rhywun arall ydi o prun bynnag.'

'Twt twt, hogyn!'

'Duw Duw. Dydi hyn yn 'i wneud o'n ddim gwahanol i Elvis.'

'Be 'di hwnnw eto?'

'Rwbath yr o'n i'n gorfod gwrando arno fo ers talwm.'

Ers talwm iawn. O dipyn i beth, ac oriawr Emyr yn dangos na fyddai ganddyn nhw amser i fynd i'r stafell arall, roeddan nhw'n dynesu at y gornel olaf ac yn ei throi ac yn symud yn raddol at y man cychwyn a'r bwrdd a'r cyfeiliant brathog. Roedd Gerda'n driw i'w chyhoeddiad y noson cynt ac yn dilyn popeth yn fanwl, ond doedd gan Emyr, yn dra gwahanol i'r bore ysblennydd yng Ngholeg y Drindod, ddim cymaint â hynny o ddiddordeb yn y creiriau a'r dogfennau o'i flaen. Byddai'n siŵr o fod yn well tasai rhywun fel Declan yma i roi bywyd ynddyn nhw. Mi ellid gwneud amgueddfa o'r tŷ dihafal dros y môr ac mi fyddai'n werth mynd yno a gweld y trugareddau ond dim ond y filfed ran o Gerda fyddai hynny. Troes i edrych arni. Roedd y gwefusau bychan prysur yn dal wedi ymgolli yn yr hanes. Llawer llai na milfed ran, meddyliodd, a'r gwerthfawrogiad a'r diolchgarwch yn ffrwd sydyn yn ei lenwi'n ddirybudd, yn gryfach nag yr oedd wedi bod o gwbwl. Ella bod yr amgueddfa yma yr un peth, yn rhy dlawd heb fywyd ei gwrthrych.

Wrth iddo bendroni felly a Gerda wedi cyrraedd ato yn ei sbîd ei hun gwelodd y dyn yn codi eto fyth ac yn dynesu. Y tro yma doedd o ddim yn siarad wrth ddod, ond wrth iddo gyrraedd daliodd ei law allan yn syth gan ei hanelu at law Gerda.

'Roedd yn ddrwg iawn gen i glywed am eich Tywysoges.'

Yr unig beth a welodd Gerda oedd y golau mawr a ddaeth i lygaid Emyr.

Roedd ymhell wedi amser cau arnyn nhw'n cyrraedd y drws, ond bu'n rhaid iddyn nhw fynd drwodd i'r stafell arall. Yr hen luniau a'r hen greiriau crefftol arferol oedd yn llenwi honno, a chawsant ffilm nad oedd yn cynnwys dim mwy na'r disgwyl am fywyd a fu. Distaw iawn oedd Gerda, ac roedd y dyn fel tasai o wedi dechrau colli diddordeb ynddyn nhw ac yn ei argyhoeddiadau yn ogystal ag yn ei swydd. Roedd Emyr wedi cael hen ddigon. Ond bu raid iddo yntau ysgwyd llaw yn ffurfiol a difrifol cyn ffarwelio.

'Waw!'

Roedd awyr iach Gorffennaf yn llawer mwy dymunol nag arfer wrth gael at y drws allan.

'Mi fedri di fod yn gaeth i'r petha rhyfedda,' oedd unig sylw Gerda.

Wrth iddynt ddynesu at y fan, daeth car a'r arwydd *Garda* ar ei do heibio'n araf. Gwerthfawrogiad oedd yn llygaid y gyrrwr wrth astudio'r A35, ond er hynny byddai wedi bod yn well gan Emyr tasai o'n rhoi ei sylw ar rywbeth arall.

16

Iawn 'ta. Mi fedra i wneud rwbath o hwn. Hwn ydi o.

> *For I am running to Paradise;*
> *And all I need do is to wish*
> *And somebody puts his hand in the dish*
> *To throw me a bit of salted fish:*
> *And there the king is but as the beggar.*

Cinio ar fwrdd allan yng nghanol stryd fywiog. Dau blât, un llyfr. Yr un fath ag adra, ond bod trafnidiaeth a phobl, a'r rhan fwya'n troi'u pennau i edrych. Dim ots.

Roeddan nhw'n edrych mwy arnyn nhw ill dau nag ar yr un yr oedd Emyr yn ei gymharu ag Ian. Roedd hwnnw'n eistedd ar y pafin gyferbyn. Tua'r un oed ag Ian oedd o hefyd, ac o bosib yn futrach. Roedd ei goesau'n syth o'i flaen a phawb a âi heibio'n gorfod mynd o'u ffordd i'w osgoi. Roedd ei lygaid ar agor ond yr unig ddefnydd a wnâi ohonyn nhw oedd eu sodro rywle rhwng ei ben-gliniau a'i draed. Ac wrth iddo edrych arno dyma Emyr yn meddwl yn sydyn tybed oedd Mos a Kate wedi mynd ati i chwilio am Ian hefyd pan roddodd hwnnw'r gorau i fod yn foi calad yn tanio matsys dan ei winadd a mynd ar ei gyfeiliorn di-fudd. Roeddan nhw'n perthyn iddo fo.

'Da' i ddim fel 'na. 'Da' i byth fel 'na.

'Be?' gofynnodd Gerda.

'Dim byd.'

Am eiliad ni fedrai wneud dim ond cadw'i olygon ar ei fwyd. Yna cododd ei ben.

'Diolch,' meddai yn ei lais cliriaf, ac edrych i fyw ei llygaid.

Nodiodd Gerda'n gynnil. Daliodd i fwyta.

'Fyddi di ddim yn meddwl be maen nhw'n 'i wneud weithia?' gofynnodd yn sydyn.

'Be mae pwy'n 'i wneud?'

'Nhw adra.'

'Pa nhw? Dad a Mam?' Arhosodd. Synnodd. 'Iesu! Dw i wedi'i ddeud o!'

'Paid â rhegi. Ac atab gwestiyna pan wyt ti'n 'u cael nhw.'

'Mae gofyn strejo'r gair meddwl i eithafion na wyddan ni mo'u bod i'w wneud o'n addas ar gyfar atab. Naci debyg, nid strejo. 'I grebachu fo o fodolaeth.'

'Paid ag osgoi pob un cwestiwn mae'r beth fach yn 'i ofyn i ti!'

'Dydw i ddim. Nid be maen nhw'n 'i wneud. Pa blydi rhaglan maen nhw'n sbio arni hi.'

'O diar.' Ysgydwodd Gerda ben diamynedd. 'Pobol heddiw. Does gen ti ddim hiraeth am beth felly decini.'

'Am be?'

'Yr hen delifishyn gwirion 'na.'

'Hwyl a sbort ac edmygadd ydi leinio pobol ar hwnnw. Tasach chi'n 'u gweld nhw'n glafoerio arno fo.'

'Pwy?'

'Nhw'u dau.'

''Dydi pawb â'u trwyna difeddwl ynddyn nhw. Pawb ond chdi, i'w weld. Rwyt ti'n wahanol iddyn nhw i gyd.'

'Nac'dw. Mae 'na lawar yn 'rysgol yn casáu teledu.'

'Tybad?'

'Oes siŵr. Dydi'r byd ddim mor ddiffaith ag yr ydach chi a Bwrdd Croeso Brú Rí yn 'i wneud o.'

'Cym di'r ofal â chymharu'r beth fach hefo hwnnw!'

Gwên ar wên swil.

'Mi fetia i ganpunt ma' rhywun 'run fath yn union â fo sy'n trefnu'r ŵyl ganu 'na yn Trá Lí. Dim ond rhywun arallfydol o ddi-glem fedra feddwl am wadd Côr y Bôr i Werddon.'

'Pa gôr 'di hwnnw eto?'

'Yr un mae Dad yn canu yn'o fo. Iesu! Dw i 'di ddeud o eto!'

'A phrun bynnag,' meddai Gerda, 'ddudis i rioed bod y byd yn ddiffaith, na'i gredu o. Fedri di ddim gwahaniaethu rhwng yr hen fyd mawr 'ma a rhai o'r boblach sy'n byw yn'o fo, hogyn?'

Saib fechan i fwyta. Roedd y cinio'n gofyn am ambell un.

Yn ara deg iawn, disgynnodd yr hogyn ar y pafin ar ei ochr ac aros felly.

'Arglwydd mawr!' sibrydodd Emyr.

Roedd o'n argyhoeddedig ei fod wedi marw. Edrychodd yn frawychus ar Gerda, ond doedd hi ddim i'w gweld yn cynhyrfu o gwbl. Edrychodd yn ôl. Ond roedd yr hogyn yn plygu'i goesau, eto'n araf araf, gan ddod â'i ben-gliniau'n nes at ei ên.

'Uffar gors!'

'Yn wahanol i chdi,' meddai Gerda'n rhesymol drist, 'does gan y creaduriaid bach yma'r un syniad be i'w wneud pan maen nhw'n cicio dros y tresi, yli. Dyna i ti be 'di addysg wag.'

Ysgydwodd Emyr ei ben anfodlon.

'Ella bod 'na resyma erill. Mae'n debyg bod gynnyn nhw i gyd 'u gwahanol resyma.'

'Mi aeth y beth fach i drio helpu un 'fath â hwn yn Dre rhyw ddiwrnod. Yr olwg fwya anobeithiol welist ti rioed yn dy fywyd bach yn 'i llgada gleision o. Mi rhegodd fi dros bob man a 'ngalw i'n bob enw. Finna wedi cymryd yn ganiataol y basa fo'n dallt ac yn gwerthfawrogi rhywfaint.'

'Dydi pawb ddim 'run fath, nac'di?'

'I ble'r ei di, hogyn?'

Roedd Emyr wedi codi.

'Cym bwyll, bendith iti!'

Cododd Emyr fawd cynnil arni heb edrych, a chroesodd y ffordd. Daeth at yr hogyn. Tua'r un oed ag Ian oedd o hefyd, os nad yn fengach. Doedd o ddim yn drewi, er butred ei ddillad. Roedd ei wallt hir brown yn seimlyd a lympiog. Roedd croen ei wyneb i'w weld yn ddwl ac yn fras. Roedd ei lygaid yn dal ar agor, ond doedd o'n cymryd sylw o ddim. Plygodd Emyr ato.

'Tisio rwbath?' gofynnodd.

Arhosodd eiliadau am ateb na ddaeth.

'Gymri di fwyd ne' rwbath?'

Arhosodd eto.

'Paid â thrafferthu,' meddai llais wrth fynd heibio.

'Tisio rwbath? Tisio bwyd? Ne' dun diod ne' rwbath?'

Yn y diwedd aeth i'w boced a thynnodd bapur pumpunt ohoni. Plygodd o'n daclus a'i roi yn y llaw.

'Pryna fwyd.'

Chafodd o ddim pwt o ymateb. Fel roedd yn codi, gwelodd y llaw'n dechrau cau'n araf araf am y papur pumpunt. Syllodd arno eto am ennyd. Yna trodd yn ôl a dychwelyd at Gerda. Edrychodd hi arno'n dawel. Eisteddodd o.

'Dim bai ar y cynnig debyg,' meddai hi.

Tynnodd ei bwdin oer yn nes ato, a dechrau ei fwyta'n araf.

'Dw i ddim yn ein gweld ni'n cyrraedd Sligeach heddiw.'

'Nac oedd,' meddai hi wedyn. 'Dim bai ar y cynnig.'

Mae 'na rwbath yn digwydd, y lwmp yn byrstio ella, ac mae . . . Na cheith, cheith hynny ddim digwydd. Rwbath arall. Mae'r dent yn gorfod aros i fyny ac mae pawb yn gweld 'i fod o'n rhy ifanc i gael cyflog llawn ac yn gwrthod 'i gyflogi o ac mae'r pres yn dechra mynd yn brin a phryda iawn o fwyd call yn mynd yn betha mwy a mwy diarth ac mae stormydd gaeaf yn chwalu'r dent ac mae'r pres yn darfod a damia unwaith.

''Da' i ddim fel'na. 'Da' i ddim 'fath â fo.'

'Mi wn i hynny debyg. Lle ce'st ti'r fath syniad, hogyn?'

Cododd Emyr sgwyddau cynnil.

'Straen weithia 'tydi?' meddai Gerda yn y man.

'Be?'

'Rwyt ti wedi dibynnu arnyn nhw am dy fagwraeth a dy gynhaliaeth ar hyd dy oes. A nhw 'di dy rieni di, beth bynnag oeddan nhw'n 'i wneud.'

''Di o'm ots rŵan.'

'Ydi, mae o. Mae 'na herio, ac mae 'na herio gwirion.'

'Pam ydach chi'n codi hyn rŵan?'

'Am 'mod i'n dy nabod di. Am bod y truan sy'n gorwadd ar y pafin 'na wedi dy styrbio di'n lân.'

210

'Naddo.'

'Do'n tad. Rwyt ti wedi cael gwersi hegrach yn dy oes fer na chafodd y beth fach yn 'i holl flynyddoedd meithion, faint bynnag o wehilion y byd 'ma oedd yn trio'u gora ysgelar i'w threchu hi.'

'Hei! 'Dach chi ddim wedi sôn am yr un ohonyn nhw ers pan ydan ni yma.'

'Be?' gofynnodd hi'n siort.

''Dach chi wedi ennill.'

'Ennill be?'

'Ennill. Dest ennill.'

'Troi'r stori wyt ti?'

'Naci!'

'Yr hyn 'dw i'n 'i ddeud ydi nad oeddat ti'n disgwyl cael gwers arall yng nghanol dy ryddid newydd ac yn enwedig yng nghanol dy wylia annisgwyl, a honno yn 'i ffor yn wers gyn hegrad â'r un ohonyn nhw. Rwbath i'w feithrin ydi annibyniaeth, nid rwbath i ruthro'n benddall iddo fo a gorfoleddu o'i achos o a dim arall.'

'Dydw i ddim yn ych dallt chi.'

'Nac wyt ti?'

'Be sy 'nelo hynny â'r boi 'ma, prun bynnag, dallt ne' beidio?'

'Roeddat ti'n byrlymu gan dy sicrwydd newydd heintus ohonat ti dy hun nes gwelist ti o, a hynny'n werth 'i weld i'r neb oedd â'r llgada gynno fo i wneud hynny. Paid â mynd i'r draffarth o daeru, cyn iti feddwl am ddechra. A phaid â meddwl 'mod i'n dy feio di chwaith.'

Diolch nad oedd hynny'n gofyn am ateb, nac am her. Chwarae hefo'i bwdin oedd o ers meitin, a gorau oll am hynny. Yn un peth roedd o'n rhy flasus i'w ruthro, a dyna fyddai o wedi'i wneud tasai'r sgwrs ddim wedi gwahardd hynny. 'Dâi o ddim 'run fath â hwn, 'dâi o ddim 'run fath ag Ian.

Roedd hithau'n chwarae hefo'i dysglaid hufen iâ coch hithau hefyd. Daeth llygaid ansicr ar lygaid dwys. 'Daethon nhw ddim i drio osgoi'i gilydd.

Cyn hir, roedd yr hogyn yn codi'n ôl ar ei eistedd, yr un mor araf a thrwsgwl ag y disgynnodd. Roedd ei law'n agor, yna'n cau drachefn cyn cael ei stwffio i boced i gadw'i bumpunt newydd ynddi.

'Dydi'r rhyddid newydd 'ma'r wyt ti'n feddw hapus yn 'i ganol ddim yn dy wneud di'n ddigon anghyfrifol i beidio ag ystyriad yr hyn sy o dy flaen di,' meddai Gerda toc.

'Trafod fy nyfodol.'

'Be ddudist di?'

'Dim byd.'

'Do'n tad. Mae'r chdi naturiol 'na newydd saethu'n ôl i dy llgada clirion di. Maen nhw'n chwerthin arna i eto.'

'Siarad siop y blydi byd o'n i.'

'Wel diolcha amdano fo os ydi o'n llwyddo i godi dy galon iach di mor hawdd â hynna.'

'Am chwilio am waith 'dw i. Dw i 'di deud wrthach chi.'

'Yn lle?'

Ysgydwodd ei ben fymryn.

'Rwla,' cynigiodd.

'Pa fath o waith?'

'Waeth gen i. Rwbath i 'nghynnal.'

'Pa brofiad s'gin ti?'

''Run faint â phawb arall sy'n dechra am y tro cynta.'

'Pa hyfforddiant s'gin ti?'

'Be 'di'r croesholi diddiwadd 'ma?'

'Dechra gweithio cyn i ti gael dy gyfla i orffan chwara.'

''Di o'm ots am hynny.'

'Ydi'n tad. Dydi peth fel'na ddim i fod.'

'Dydi petha erill ddim chwaith. Llawar o betha. Peth mwdradd o betha.'

'Mi fedri fynd yn ôl i'r ysgol. A phasio a chael coleg.'

'Ia'n Duw. A chael gradd mewn Dyfynnu Hysbysebion. Ac wedyn mi a' i am radd uwch mewn Hysbysebiaeth Gymharol.'

'Am be gythral wyt ti'n sôn, hogyn?'

Roedd yr Ian arall yn dal yn ysgytwol lonydd ar y pafin, a'r traed prysur yn dal i'w osgoi.

'Thwylli di mo'r beth fach. Wyt ti'n meddwl na sylwis i ddim ar dy llgada gloywon di yn y coleg 'na bora echdoe? Roeddat ti'n ysu am gael bod yno'n cael dysgu am betha. Mi uniaethist dy hun hefo'r hogyn clên ystyriol 'nw mor naturiol â tasat ti wedi'i nabod o ar hyd dy oes.' Yna roedd hi unwaith eto fel tasai hi am betruso am ennyd. 'Rwyt ti a dy fryd ar hynny, 'twyt?' meddai.

Roedd ei llais yn swnio bron yn amddiffynnol wrth iddi ofyn.

'Ella,' meddai Emyr, yn synhwyro rhyw gyfrinach arall, ond eto'n ofni braidd na fyddai datgelu un o'r breuddwydion cudd yn plesio.

'Ella, wir!' Yna petrusodd Gerda drachefn. 'Does 'na ddim i dy nadu di newid dy ysgol ar ôl i ni fynd adra.'

213

'Arglwydd!'

Hanner wrtho'i hun, a dim ond greddf i wthio'r gair allan. Roedd hynna mor newydd fel bod yr un reddf yn ei wrthod yn glep. Roedd o mor newydd fel ei fod yn amhosib. O bob cynllun a darpar gynllun a breuddwyd, doedd peth felly ddim wedi gallu codi'i ben o gwbl.

'Waw!'

Ebychiad bychan arall, hanner wrtho'i hun eto. Yna gwyddai pam roedd o'n rhy newydd. Roedd yn rhaid i bob cynllun gwerth ei ystyried gymryd yn ganiataol na fedran nhw gael gafael arno fo. Unig ystyr posib ysgol oedd y byddai o fewn eu gafael nhw. Ac eto . . .

Roedd yn rhaid iddo chwilio am droedle gyfarwydd.

'Pharith y pres ddim am byth. Mi fasa'n rhaid i mi gael gwaith 'run fath.'

'O.'

'O be?'

'Dwyt ti ddim yn wfftio'r syniad, felly.'

Codi mymryn ar yr ysgwyddau eto. Fedra fo ddim mo'i wfftio na pheidio'i wfftio. A gwyddai prun bynnag nad oedd gan y syniadau annelwig ac ella braidd yn freuddwydiol oedd yn cael eu corddi a'u hailgorddi fel yr âi pob awr a phob dydd heibio fawr o obaith yn erbyn cwestiynau di-ildio Gerda.

'Mi fedrwn i drefnu hynny,' meddai Gerda'n gyfrinach i gyd.

'Be?'

'Mae Catrin Ann, chwaer John Mur Calchog, yn dysgu tua'r Dre 'na. Peth fach ddigon ffeind a chymwynasgar. Mi fasa hi'n dy gael di i mewn.'

'Uffar gors!'

'Wel?'

Triodd ohiriad bach.

'Dyna ddudodd Cadeirydd Côr y Bôr wrth Dad pan oeddan nhw'n sôn am y mesyns. Ro'n i'n gwrando arnyn nhw o 'llofft. Iesu! Dw i 'di ddeud o eto fyth!'

'Do siŵr.'

'Mae hwnnw yn y côr hefyd er na fedar o ganu'r un nodyn. Mwy na fedar y lleill. A'r jôc oedd 'i fod o'n galw'r lojars yn hogia. A finna'n piso chwerthin yn cofio am Mos yn canu 'O mor hoff yw cwmni'r Brethren' a Kate yn rhoid row iddo fo am sbeitio.'

'Paid â thrio troi'r stori bob munud 'ta.'

Llygaid ar lygaid. Sobrwydd dealltwriaeth hen fêts.

'Mi ofynnodd Catrin Ann i mi faswn i'n mynd o flaen yr ysgol i sôn wrthyn nhw am feddygyniaetha cartra, pa ddefnydd y medra'r beth fach 'i wneud o'r planhigion a'r gwreiddia wrth 'u traed nhw. Roedd John wedi rhoi fy rhif ffôn i iddi. Doedd dim ots gen i iddi hi gael 'i wybod o.'

'Aethoch chi?'

'Naddo debyg iawn.'

'Pam?'

'Pam? Toeddwn i'n gwybod sut blant oeddan nhw. Faint ohonyn nhw fyddai'r un fath â chdi?'

'Y cwbwl, ella.'

'Twt! Chlywodd y beth fach rioed rotsiwn ffwlbri.'

'Tasach chi'n 'u nabod nhw ella y basan nhw. A tasan nhw'n ych nabod chi.'

Roedd troi'r stori'n lles prun bynnag. Roedd yr Ian arall yn dal yn ei le llonydd ond rŵan roedd Emyr yn gallu edrych arno hefo llawer llai o ofn. Da iawn Gerda. Trodd ei drem ddiolchgar arni, a synnodd. Roedd golwg ryfedd arni, bron fel rhywun euog.

'Be sydd?' gofynnodd ar unwaith.

Roedd hi'n osgoi ei lygaid am eiliad.

'Hei, be sydd?'

'Waeth i ti gael gwybod ddim, decini,' meddai gydag ochenaid fechan.

'Gwybod be?'

'Mi ddaru'r beth fach rwbath yn dy gefn di.'

'Be?' gofynnodd, ei lygaid yn goleuo'n braf.

'Y diwrnod cyn inni ddŵad i Werddon 'ma. Mi ddudis i wrth John Mur Calchog am ofyn i Catrin Ann fy ffonio i i weld oedd posib dy gael di i'r ysgol ar ôl inni ddŵad adra ne' ar ôl yr ha. Wyt ti ddim dicach, nac wyt?' ychwanegodd ar yr un gwynt.

Doedd o ddim mewn cyflwr i deimlo dig na dim.

'Nac'dw.'

'Ond mi ffoniodd hi tra roedd y beth fach yn molchi'i hun yn barod yn y bath gwyn.'

'Ffonioch chi hi yn ôl?'

'Mi ffonis i'r un pedwar saith un 'na i gael 'i rhif hi, ond mi ddrysis wrth 'i sgwennu o. Do'n i ddim yn licio ffonio i ofyn wedyn rhag ofn i'r ddynas un pedwar saith un wylltio hefo fi.' Arhosodd. 'Ngwas gwyn i. Does dim isio i ti fynd i ollwng dy ddagra crynion am beth fel'na, sti. Dim ond dy les di s'gin y beth fach mewn golwg. Roedd stamp peidio â dychwelyd i dy gartra chwipiog wedi'i serio yn dy llgada di a dyna . . . Hei! y cythral bach stumgar! Chwerthin wyt ti! Chwerthin am ben y beth fach eto fyth! Bob un munud o d'oes! Adra! Adra'r munud 'ma!'

Ond 'daethon nhw ddim. Yn ara deg, ac mor drwsgwl ag ebol yn trio'i goesau a'i gamau cyntaf, roedd yr Ian arall yn codi. Roedd yn cyrraedd ar ei sefyll, gan bwyso un ysgwydd ar y wal rhwng dwy ffenest siop yr oedd wedi bod yn gorwedd yn ei herbyn tan hynny. Daeth yr ysgwydd oddi ar y wal. Simsanodd. Yna, eto yn ara, dechreuodd gerdded y pafin, draw oddi wrthyn nhw. Roedd Emyr yn sibrwd diolch bychan o'i weld yn gallu mynd.

17

Dim ond un peth oedd Heddwyn yn ei weld ddim cweit yn ffitio yn y bywyd newydd, ddim cweit yn argyhoeddi. Calla dawo oedd hi wrth gwrs. Yr un ag erioed oedd sŵn y fan bost a chlec fechan y blwch llythyrau a sŵn dylach llythyrau'n cyrraedd carped. Yr hyn oedd wedi newid oedd rhuthro Dilwen i'w nôl.

Dridiau ynghynt clywsai sŵn buddugoliaethus arwydd ar werth yn cael ei osod o flaen drws nesa. Bron na phrynai o'r tŷ ei hun i gael 'mâd â nhw ynghynt.

Roedd sŵn y fan a sŵn y blwch llythyrau a sŵn Dilwen yn rhedeg i lawr y grisiau.

'Heddwyn! Mae 'ma gardyn!'

Roedd hi yn y gegin mewn chwinciad.

'Mae o wedi gyrru cardyn!'

Drwy drugaredd gallodd guddio'i ymateb.

'O lle?' gofynnodd, heb fod yn sur, heb fod yn frwd.

'Mae o wedi gyrru cardyn! Yli! Cardyn!'

Roedd y bywyd ifanc ffwrdd â hi newydd yn cracio am y'i gwelid. Arhosodd o yn ei gadair a'i frecwast.

'O lle?' gofynnodd eilwaith, yn dra ymdrechgar.

O leiaf mi glywodd hi.

'Stamp diarth,' rhuthrodd, ei llygaid yn serennu ar y cardyn. 'Eire,' darllenodd mewn Cymraeg i'w gofio. 'Werddon 'di fan'no!' gwaeddodd. 'Be mae o'n 'i wneud yn fan'no?'

Be ddaru o rioed yn unman?

'O lle yno?' gofynnodd.

'Sli-geach.' Roedd ei Chymraeg yn graenuso fesul llythyren. 'Ne' rwbath. Be 'di hwn? Inis Ffra-oigh. Lle 'di fan'no?'

Go damia fo. Roedd yr olwg wyllt wedi dychwelyd i'w llygaid, yn union fel tasai heb fod ohonyn nhw o gwbl.

'Ydi o'n deud rwbath?' gofynnodd o.

Y tro hwn methodd yn llwyr â chuddio diflastod ei lais. Nid bod Dilwen wedi sylwi.

*   *   *

Roedd o'n difaru. Roedd o wedi trio cymryd arno fel arall. Doedd 'na'r un awgrym o ddifaru am yrru'r cardyn at Teleri a fyddai 'na ddim chwaith. Ond roedd hwn yn wahanol. Roedd yr anniddigrwydd wedi codi y munud y gollyngodd o o'i law i dwll y post. Tasa fo wedi aros tan y munud dwytha cyn gyrru atyn nhw – y weithred ddwytha un cyn i'r A35 gychwyn ei siwrnai yn ôl am Ddulyn a chrombil yr *Innisfree* neu pa long bynnag arall y byddai'n llwyddo i'w dal ar sbîd y beth fach, fyddai ddim ots.

Ac ella nad oedd o'n gwneud dim ond codi bwganod. Rhyw adlodd o amser cinio'r diwrnod cynt oedd wedi bod yn anwahanadwy gymysg â'r Ian arall ella. Ond roedd o'n difaru.

18

'Wel?'

'Iawn.'

Roedd yn rhaid iddi fod yn iawn. Y gwellt a'r ddaear gynnes odano'n derbyn ei gorff mor naturiol odidog, a bywyd canol Gorffennaf yn ei holl lawnder tawel i'w deimlo ynddyn nhw a thrwyddyn nhw. Roedd oglau cynnil y gwellt ac oglau cynnil haf newydd mor wych, mor llesol. Wrth ei ymyl roedd dŵr y llyn bron yn ddisymud. Roedd yn rhaid iddi fod yn iawn.

Roedd gollwng y cardyn i'w dwll di-droi'n ôl yn rhywbeth haws ei oddef erbyn hyn a'r difaru oedd wedi cyrraedd pwll stumog yn pylu hefo'r dyddiau hirion, yn enwedig os oedd o'n rhoi ei feddwl ar bethau eraill. Yn enwedig os oedd o'n cymryd arno mai heddiw a fa'ma oedd popeth.

'Wel? medda fi eto.'

'Wel be?'

Roedd hi mor sleifar o braf cael siarad mor ddioglyd. Fedrai hynny ddim cael ei ddifetha debyg. Nhw a'u blydi bygythiada. Nhw a'u blydi rhaffa a'u blydi dyrna.

Doedd o ddim i fod i feddwl am bethau felly mewn lle fel hyn.

'Fasai'n ddim gwell inni ddechra meddwl am hel ein pacia?' Doedd hwnnw mo'r tro cynta i Gerda ofyn hynny chwaith. ''Ta wyt ti'n bwriadu d'angori dy hun yn fa'ma weddill dy ddyddia?'

''Gen i ryw ffansi mynd drosodd un waith eto. Mi dala i tro 'ma.'

'A be gei di'n wahanol yno heddiw i be gest ti ddoe ac echdoe?'

Roedd hi wedi bod unwaith, ac yntau ddwywaith. Doedd Gerda ddim mor ffond â hynny o ryw gychod.

'Am nad oes 'na ddim yn wahanol mae arna i isio mynd,' atebodd yn ei sbîd ei hun, yn ei amser ei hun.

Roedd o wedi prynu cadair gampio i Gerda am na fedrai hi gynnig eistedd ar y ddaear. Roedd o'n eistedd arni ei hun weithiau.

'Gwna di fel mynnot ti,' atebodd hi toc. 'Mae gan y beth fach fymryn o hiraeth rŵan. Dydw i ddim wedi arfar hefo'r crwydro 'ma a'r gw'lâu swanc 'ma.' Arhosodd eiliad. 'A mae gen i waith i'w wneud ar ôl cyrraedd adra, prun bynnag. Dw i wedi penderfynu.'

'Be?' gofynnodd o, heb godi'i ben.

'Tyrd hefo mi ac mi gei di weld. Wel? medda fi am y canfad tro.'

'Wel be?'

'Be ddudis i o'r dechra. Rwyt ti'n sbio ar y dŵr 'na'n union 'run fath â'r hogyn daffodils 'nw o wlad Groeg.'

'Nid sbio ar y dŵr oedd hwnnw.'

'Doedd o ddim llonyddach na chdi. Ydi o'n wahanol i ddŵr unrhyw lyn arall?'

'Ddaru Yeats rioed ddeud 'i fod o. Ac o ganol Llundain roedd o'n gwrando arno fo prun bynnag.'

'Felly'n wir?'

'Ia debyg.'

'A be am y lle 'ma?'

Cododd ei lygaid. Roedd hi'n eistedd yn ei chadair

gampio werdd yn edrych arno. Tybed oedd hi hefyd yn gwerthfawrogi sut roedd ei gorff yn gallu asio'i hun mor naturiol i'r gwellt a'r ddaear? Mae'n rhaid ei bod hi, a hithau wedi cael ei llonydd i fod yn hi'i hun rioed. Dim ond dychmygu am fod felly fedrai o cynt, a hynny heb fedru dychmygu o gwbl yr hyn oedd o, yr hyn oedd o rŵan.

'Nid f'isio i oeddan nhw,' meddai. 'Isio fersiwn fach ohonyn nhw'u hunain oeddan nhw 'te? A honno wedi'i pherffeithio fel 'u tegins plastig diddim nhw ac iwnifforms Côr y Bôr. Gwrthod o'n i 'te? Rŵan dw i'n gweld hynny.'

'O ia,' meddai Gerda.

'Mi fetia i 'u bod nhw wedi deud wrth Mos a Kate ac wrth y plismyn 'mod i'n gofyn am bob hirad ge's i gynnyn nhw o'r dechra. Maen nhw'n hollol iawn, os ma' yn nherma gofyn amdani mae meddwl o gwbwl. Ond dydyn nhw ddim yn gwybod pam maen nhw'n iawn. Dim ond chi sy'n gwybod hynny. A fi rŵan.'

'Dyna be sydd i'r crwydro 'ma yli. Mae'r beth fach wedi gweld drwyddo fo rioed. Os wyt ti'n meddwl am rwla fel rwyt ti wedi meddwl am fa'ma mae'n well i ti 'i gadw fo felly yn 'i burdab bach diniwad a chadw'n glir o'r lle.'

'Be?'

'Dy siom di.'

'Siom?'

'Dydi ynys dy fardd pell di ddim cweit i fyny â gofynion y gobeithio nac'di?'

'Iesu bach! Mae'r lle 'ma'n sleifar!' Cododd ar ei eistedd a rhoi'i ddwylo ar ei ben-gliniau. Chwarddai am ben sylw Gerda. 'A chafodd 'na'r un siom gyfla i wreiddio prun bynnag,' ychwanegodd yn arafach. 'Dw i 'di deud wrthach chi un waith.' Plygodd i chwarae'i law yn ddioglyd yn y dŵr. 'Ac mae pob dŵr llyn yn wahanol i'w gilydd. Tasach chi'n 'y moddi fi yn fa'ma a 'nympio i mewn llyn yn nes adra mi fasan nhw'n ffendio'n syth bìn nad yn hwnnw y boddis i.'

'Cym di'r ofal! Awgrymu peth felly am y beth fach!'

'Sut cawsoch chi'r syniad yna prun bynnag?'

'Mi ddallti.'

'Pan dyfi di.' Roedd llais y pensiwnîar pell yn ei ôl. Roedd wedi bod yn angof hyd yma, diolch i Dduw am hynny. 'Hei!' meddai yn ei lais ei hun, 'mi anghofis i ddeud wrthach chi.'

'Be?'

'Y siop ddigalon 'na ar y llong.'

'Be amdani?'

'Roedd 'na silffeidia o boteli gwin am y gwelach chi yn'i hi. Roedd 'na lun rhyw lembo mewn mwstásh ar un llwyth ohonyn nhw, o Ostrelia, a Founding Father wedi'i brintio uwch 'i ben o. Yr hen dadau. Yr hen blydi tadau. Mae gofyn bod yn ddiarhebol amddifad o hanas i roid peth fel'na ar botal win.'

'Dydi dy fyd bach di ddim ar ben 'sti.'

'Mi fasan nhw'n gallu rhoid llun Côr y Bôr ar injan lifio cerrig. Ein hanes a'n treftadaeth.'

'Mi drychith y beth fach ar d'ôl di eto. Paid ti â phoeni am hynny. Tra medar hi.'

'Mi ga i waith myn diawl.'

'Ond mae'n rhaid i'r beth fach 'i chychwyn hi am adra rŵan.'

Mae'r A35 yn cychwyn a llais yn mynd i radio ac mae'r fan yn cyrraedd Dulyn ryw dro fory ne' drennydd ac yn malwenna drwy draffig y brifddinas wrth gyrchu tuag at y porthladd a llais yn mynd i'r radio ac mae'r A35 yn aros yn y ciw i fynd i'r *Innisfree* a'r llais yn barod ac maen nhw'n cyrraedd crombil caethiwed yr *Innisfree* a'r llais yn gorfoleddu ac mae'r llong yn cychwyn ar ei thaith ddidostur ac mae'n cyrraedd Caergybi ac mae'r A35 yn tanio yn y crombil ac yn cychwyn i lawr y rampau a'r llais yn gweiddi'i fuddugoliaeth i'r radio wynias ac mae'r A35 yn cyrraedd y lôn a dyma nhw iddo fo.

'Dydw i ddim yn mynd yn ôl atyn nhw!'

Neidiodd Gerda, hynny o neidio oedd yn bosib iddi.

'Ddudis i ddim bod raid i ti, hogyn! Pam gebyst y meddyliat ti'r fath beth?'

'Dydw i ddim yn mynd yn ôl atyn nhw.'

Roedd ei lais yn dawelach y tro hwn.

''Ngwas gwyn i.'

'Dydw i ddim!'

Llygaid trist ar lygaid ofnus.

'Chân nhw mo'u ffordd 'u hunain hefo chdi eto, mi ofala i am hynny. Dw i wedi gwneud rioed. Ond mae'n rhaid i ti ddod yn ôl hefo fi. Fedar y beth fach fyth ffendio'i ffor adra o fa'ma i ddechra arni.'

Llygaid ar ddŵr llonydd.

'Ne' mi fedrwn ddod hefo chi i harbwr Dulyn ne' Dun Laoghaire. Mi fasach yn iawn wedyn i Gaergybi.'

Llygaid trist ar lygaid ofnus.

'Dydw i ddim mor siŵr o 'ffor adra o fan'no chwaith. Mi gei fynd â fi i giât lôn, clap. Rhyngot ti a dy betha wedyn.'

Ne' mi fedrwn gael gwaith a gwneud gwaith ysgol gyda'r nos. 'Da' i ddim blydi atyn nhw 'te. Mi lapia i fy hun mewn brics a mynd am ddowc i'r llyn 'ma cyn hynny. Mi fedrwn i ddysgu 'ngwaith a Teleri a finna'n mynd i 'coleg a dysgu rhanna gora Llyfr Kells a thwll din y rhanna erill nhw a'u blydi bygythiada a'u blydi dyrna a'u blydi rhaffa neilon damia nhw dydw i ddim yn mynd.

Roedd dŵr y llyn yn bygwth mynd yn aneglur. Ymladdodd. Roedd yn rhaid iddo fo ennill. Roeddan nhw wedi bod yn Werddon am ddyddiau a phawb wedi troi'n ôl i ryfeddu ar yr A35. Doedd 'na neb wedi'i stopio hi. Roedd pawb wedi troi'n ôl i edrych ar y ddau'n cerdded hefo'i gilydd neu'n bwyta hefo'i gilydd neu'n sefyll hefo'i gilydd ac yn rhyfeddu ar y gwahaniaeth rhwng y ddau, yn gweld y gwahaniaeth a dim arall. Doedd neb wedi'u bygwth na'u hatal. Roedd pob plismon pafin wedi nodio ar Gerda a hithau wedi dweud helô yn ôl. Roeddan nhw wedi cael y llonydd. A rŵan roedd yr haul yn gynnes a'r gwellt braf yn cadarnhau. O hyd yn cadarnhau. Concrodd.

'Rwyt ti wedi mynd yn dawal iawn,' meddai Gerda toc.

'Gwrando 'ro'n i.'

'Ar be?'

'Dim ond gwrando. Dyma fo, ylwch.'

'Dyma fo be?'

> And I shall have some peace there, for peace
>   comes dropping slow,
> Dropping from the veils of the morning to where
>   the cricket sings;
> There midnight's all a glimmer, and noon a
>   purple glow,
> And evening full of the linnet's wings.

'Be wyt ti'n 'i ddeud, hogyn? Ac agor dy llgada i siarad hefo rhywun.'

'Hwn ydi o.'

Hwn ydi o. Mi fydda i'n iawn rŵan.

'Ro'n i wedi meddwl . . .'

'Be?'

'. . . y basat ti isio byw acw o hyd.'

'Dydw i ddim isio peidio byw hefo chi. Mae holl synnwyr ych pen chi a 'mhen inna'n deud hynny. Nid dyna ydi o.'

'Dydi'r beth fach ddim yn rhy dlawd i dy gadw di.'

'Y grash ora ges i rioed hefo beic.'

'Rwyt ti wedi dŵad â rwbath hefo chdi. Ddaru mi rioed feddwl y byddwn i'n siarad hefo rhywun 'blaw'r hen geiliog felltith 'na.'

'Ond dw i ddim isio i neb 'y nghadw i.'

I will arise and go now, for always night and day
I hear lake water lapping with low sounds by the
shore;

Hwn ydi o. Fuo 'na rioed lai o siom.'

Llygaid ar lygaid. Hen fêts.

'Mi fûm i rownd siopa Sligeach ddoe tra buost ti ar yr ynys.'

While I stand on the roadway, or on the
pavements grey,

'A mi brynis i rwbath i ti.'

'Iesu, diolch.'

'Paid â rhegi.'

'Mi'i darllena i o o glawr i glawr, faint bynnag wna i 'i ddallt ohono fo.'

Roedd y waedd glir yn diasbedain.

'Yli'r mwnci bach digwilydd! Rwyt ti wedi bod yn snwffa ym mhetha'r beth fach! Yn 'i chês hi! 'I chês gora hi! Mi blinga i di'n fyw . . .'

Roedd y chwarddiad mor glir â'r waedd.

'Be arall fasach chi wedi'i brynu i mi? Fûm i ddim ar gyfyl eich petha chi siŵr.'

'A finna wedi meddwl 'i gadw fo'n sypreis i ti. Rwyt ti i fyny â phob dim 'twyt? O leia ddaru'r beth fach ddim dy alw di'n benci.'

''Di o ddim ots am hynny rŵan chwaith.'

I hear it in the deep heart's core.

'Ac rwyt ti wedi cydgerddad hefo fi a chario 'magia i a siarad hefo fi ar stryd ac nid cymryd arnat na welson ni rioed mo'n gilydd. Rwyt ti wedi chwerthin hefo fi ar fyrdda caffis crand ac nid gweddïo am i'r llawr dy lyncu di. Wyddost ti faint o blesar mae hynny'n 'i roi i'r beth fach?'

''Di o'm ots am betha felly siŵr.'

''Di o'm ots am ddim arall!'

Roedd honno'n waedd hefyd.

Ydi mae o. Mae ots am beth mwdradd o betha. Mae ots amdanoch chi, am bob dim sy gynnoch chi, am bob dim rydach chi wedi'i wneud i mi ac wedi'i roi i mi. Mae ots ych bod chi'n treulio'ch oes yn peintio cerrig a phrenia ac yn llenwi'ch bwr nes 'i fod o dan 'i sang ac yn dal i'w lenwi o yn hytrach na'i threulio hi'n gweiddi hwrê bob tro'r ydach chi'n llwyddo i atab cwestiyna diffath rhaglenni cwis diddiwadd diffath y blydi teledu diffath o flaen y cystadleuwyr diffath a 'ngorfodi i i ddathlu hefo chi. Mae ots ych bod chi'n prynu mwy o fara brown na fedrwch chi'u bwyta er mwyn rhoi briwsion i'r adar. Mae mwy o ots amdanoch chi na . . . na . . . na

'Be?'

Mae ots ych bod chi'n 'y nhrin i fel fi ac nid fel gwas bach. Mae ots ych bod chi'n 'y namio i'n ddiddiwadd ac yn anghofio'r munud hwnnw. Mae ots ych bod chi'n gwneud rhywbeth amgenach na gwirioni ar yr un ffrae'n mynd o un ddrama deledu ddiffath i'r llall a chredu ma' dyna ydi byw a leinio pawb sydd ddim isio credu yr un fath â chi. Mae ots nad ydach chi'n credu yn y diawl peth o gwbwl. Dyna 'di ystyr ots.

'Be, hogyn?'

'Dw i wedi anghofio chwilio am Coill na gCnó.'

'O diar mi. Mi gymrith hynny bythefnos arall os cei di dy ffor dy hun m'wn.'

Hi oedd yn iawn. Roedd y gwyliau'n costio ac roedd hi'n mynnu talu. Roedd hi'n hen ac isio mynd adra, yn 'laru ar wyliau'n llawer cynt na fo, a heb ddim i orfod dengid oddi wrtho fo. Iawn 'ta. Mi awn ni adra. Diolch.

Ond roedd o'n gyndyn o godi. Roedd syllu ar y dŵr ac ar yr ynys i fod i bara.

'Be 'di hwn?' gofynnodd Gerda toc.

'Be?' meddai o heb godi'i ben na throi.

'Plismon ydi o?'

Roedd golwg radlon braf arno, golwg un wedi treulio oes ddigyffro yn ei swydd ac yn barod i ymddeol. Trodd ei ben am gip arall ar yr A35 yn y top yn ymyl ei gar ei hun a gwenu'i edmygedd arni. Dynesodd.

'Plismon ydi o?' gofynnodd Gerda wedyn.

Dyma hi, felly.

O'r diwedd. Dyma hi, felly. Yn y lle mwya annisgwyl ohonyn nhw i gyd. Yn union fel tasai'r creulondeb wedi'i drefnu ac wedi'i fesur. Y Drefn yn trefnu'r dial fel ei bod yn cael y mwynhad mwya posib.

Naci. Nid yn y lle mwya annisgwyl. Cyflog ei glyfrwch o'i hun oedd o. Cyflog rhoi'r cardyn yn y twll post. Mor wahanol i gardyn Teleri.

'Mae o'n dŵad yma,' synnodd Gerda yn ei diniweidrwydd. 'Wel ydi hefyd. Be sy ar hwn 'i isio?'

'Mi gym'son yn hir ar y diawl.'

'Be?'

Doedd dim cynnwrf. Dim na fedrai ei reoli, beth bynnag. Roedd ganddo un clais ar ôl. Roedd yn anodd ei weld ond roedd o yna. Dim ond dangos. Dim ond deud. Roedd Gerda wedi'u gweld nhw i gyd, bron iawn. Mi fyddai'n rhaid iddyn nhw'i choelio hi.

Dim ond hi oedd yn gweld yr wyneb ymbilgar.

Nodiodd y *garda*'n hynod gyfeillgar a gwengar ar y ddau. Galwodd Gerda'n madam ac Emyr yn young man. Rhoddodd air o glod twymgalon i'r A35 a gofyn i Gerda ai hi oedd piau hi.

'Ies,' atebodd Gerda. 'Austin of England.'

A Gerda ydi'ch enw chi, meddai'n rhadlon drachefn.

'Wel sut mae hwn yn gwbod yr holl betha 'ma?'

Roedd ei ffordd o ynganu Emyr ychydig yn ddiarth ond yn hynod agos atoch chi. Yn union fel Declan.

Yna, yn ddirybudd, roedd y terfysg.

Roedd wedi neidio ar ei draed fel ewig.

'Dydw i ddim yn mynd yn ôl atyn nhw!'

Dros y lle. Dros y llyn. Dros yr ynys.

Yn oer a swnllyd roedd y dŵr yn cau amdano. Yr unig beth arall a glywodd oedd sgrech annaearol Gerda o'r lan.

19

'Rŵan 'ta'r bwbach. 'Ddylist ti rioed y byddat ti'n cael symud o fan'na, naddo? Ond dwyt ti ddim yn mynd i'r un o'r caea gwenith 'na, i ti gael dallt. Mae 'na le dipyn poethach na'r rheini ar dy gyfar di. Ond mae'r rheina'n dŵad hefo chdi hefyd. Fyddan nhw'n dda i ddim i'r beth fach rŵan, hebddat ti yn 'u llgadu nhw mor wancus.'

Roedd y bwrdd yn llawnach a rhyfeddach nag erioed. Roedd hi â'i llaw yn pwyso ar ei gongl wrth iddi wneud ei haraith fechan. Wedi gorffen, symudodd oddi wrtho a dynesu at y pared. Roedd y fuddugoliaeth sur yn llenwi'i hwyneb wrth iddi afael yn y lliain a'i blycian yn rhydd. Rhwygodd ymaith heb fymryn o drafferth.

'Hy!'

Taflodd o ar y bwrdd ar ben y lleill. Ailfeddyliodd. Aeth at y bwrdd a gafael ynddo a'i daflu ar lawr.

'Dan draed mae dy le di.'

Sathrodd o. Sathrodd o drachefn a sefyll arno. Sychodd ei thraed bychan arno. Ond yna plygodd yn llafurus a'i godi. Daliodd o o fewn modfedd i'r sbectol.

'Ar ben y peil y byddi di'n mynd.' Ysgydwodd o fel ysgwyd cadach a sgyrnygu arno. 'Mae arna i isio gweld yr olwg yn dy llgada aflan di wrth i'r fflama ddod atyn nhw a neidio a dawnsio o d'amgylch di. Be wnei di wedyn, tybad? Gweddi ar dy Hilda yr hen bitsh iddi hi?'

Cafodd luch ar lawr drachefn.

Allan, roedd y gwynt oedd wedi bod yn lled gryf yn y bore bach wedi gostegu, ond doedd dim golwg o haul. Roedd y bwrdd yn ei farnais newydd wrth y drws. Pwysodd flaen bys arno am ennyd, fel roedd yn ei wneud bob tro.

''Ngwas gwyn i.'

Mynd â nhw fesul llwyth hwylus oedd hi. Eisoes roedd tomen go helaeth ar ganol y cae bach. Roedd iâr nymbar wan wedi bod yno'n busnesa ac wedi dychwelyd. Aeth y camau ara deg i'r cae a gollwng y llwyth diweddara ar y domen anghelfydd.

'Cipio!'

Dychwelodd at y tŷ. Am fod y gwynt wedi gostegu eisteddodd ar y fainc wrth y bwrdd a'i farnais glân.

'Glywsoch chi rioed y fath syniad? Cipio plentyn dan oed. Y tacla.'

Cododd, a dychwelodd i'r tŷ. Arhosodd yn y drws canol am ychydig i astudio bwrdd y gegin, mor anghyfarwydd dan ei lwythi newydd. Yna aeth y camau araf i'r llofft arall. Roedd y gadair fach wrth y gwely o hyd. Eisteddodd arni. Edrychodd ar y gwely gwag.

'A fynta'n aeddfetach 'i feddwl byw na'r un ohonyn nhw, yn dallt y petha a pha betha mae'n werth 'u dallt. Y tacla. Ond dyna fo'r byd mawr i chi.'

Roedd y dillad yn lân ar y gwely, a'r gobennydd yn lân ar ei ben.

'Dyna pam mae'n well gen i gadw'n glir. Rioed yr un fath.'

Roedd y llyfrau a gawsai eu peilio'n daclus yng nghornel y llofft fach wedi mynd. Cododd yn araf a dychwelyd i'r gegin. Anwybyddodd y bwrdd. Safodd o flaen y dresal dywyll.

'Mi geith y petha yma fynd hefyd.'

O dipyn i beth gwagiodd y dresal. O dipyn i beth gwagiodd y bwrdd.

O dipyn i beth cliriwyd popeth oedd i'w glirio.

Roedd arni isio bod yn nes na drws y tŷ a'r fainc. Symudodd y bwrdd bach i ochr arall y drws. Gafaelodd ym mraich y fainc a'i llusgo'n swnllyd ar ei hôl. Roedd honno'n styfnigo.

'Dduw annwyl Dad inna! Mae'r hen fainc felltith 'ma cyn drymad ac anhylaw â phob dim arall hyd y lle 'ma.'

Ond llwyddodd i'w chael i'r cae. Gadawodd hi'n gam. Mi gâi'r hulpan styfnig wneud y tro felly, yn enwedig wrth bod yr anadl yn byrhau a'r chwythu'n mynd yn fwy a mwy clywadwy a'r chwys yn dechrau disgleirio'r talcen. Eisteddodd arni am ennyd i gael ei gwynt ati. Dim ond y fainc a gâi ddod i'r cae i weld hyn. Roedd y gadair bach yn y llofft i aros lle'r oedd hi. Doedd honno ddim i gael dod yma i hyn, anadl yn diffygio neu beidio. A diolch i Dduw mai un waith mewn oes mae isio gwneud coelcerth. Meddyliodd am symud y fainc yn nes. Ond na, roedd hi'n ddigon agos, yn enwedig os byddai'r pethau'n tasgu eu protest ddiobaith mewn gwreichion. Mi fyddai hi'n hen ddigon agos yn fan'no i'w gweld a'u clywed nhw'n llosgi, yn goelcerth o fflama melynion a chochion a'r gwreichion yn saethu a chlecian a chochni difaol disiâp yn 'i chanol hi. Threchan nhw mo'r beth fach.

Y tacla.

'Nhw a'u bygythiada. Pa fygythiad fedrwch chi 'i chwthu ar beth fach ddwy ar bymthag a thrigian a'i lwmp hi ar fin byrstio? medda fi wrthyn nhw.'

Cododd. Dychwelodd yn araf i'r tŷ. Aeth drwyddo, rhag ofn. Na, roedd popeth oedd i fynd wedi mynd. Eisteddodd eto. Dipyn o waith, ond roedd o drosodd rŵan. Edrychodd o gwmpas y gegin ryfedd. Gorau oll. Ac ar ôl i'r rheini fynd fyddai 'na ddim ar ôl i neb fusnesa ynddyn nhw ond mymryn o ddodrefn a dillad na fydden nhw byth yn ddigon swanc i'r un ohonyn nhw yn siŵr i chi. Roeddan nhw'n mynd i gael tipyn o ail pan ddeuen nhw yma hefo'u dwylo budron barus a'u trwyna busneslyd i chwilio a chwalu ar ôl y beth fach.

Naci. Dadflino yn gyntaf, cyn tanio. Dadflino a chael tamaid o ginio. Doedd dim brys, bellach.

'Y tacla.'

Doedd hi ddim wedi sylwi cynt ar diciadau'r cloc. Wedi cael y lle i gyd iddo'i hun, roedd o'n dipyn mwy ymffrostgar. Mi gâi o fod fel fynno fo, bellach.

''Ngwas gwyn i.'

Cyn hir, yn ei theimlo'i hun yn cryfhau fymryn ar ôl ei straffaglian, gwnaeth ei chinio. Wedi cael ei digon, roedd modfedd go drwchus o grystyn yn weddill o'r dorth frown. Chwalodd y crystyn yn friwsion i ddesgil graciog, a mynd â nhw allan a'u tywallt ar garreg fflat yr adar bach yn y clawdd. Dychwelodd i'r tŷ a golchodd y llestri.

Aeth allan. Aeth heibio i'r bathrwm wen ac i'r cwt talcan. Roedd hwnnw hefyd yn iawn, dim byd ar ôl iddyn nhw. Gafaelodd yn y tun paraffîn. Roedd John Mur Calchog wedi mynd ag o i'w lenwi y diwrnod cynt. Dychwelodd i'r cae. Eisteddodd ar y fainc eto am ennyd i gael ei gwynt bach ati. Sodrodd y tun paraffîn ar y gwellt wrth ei thraed.

'Lle mae'ch teulu chi? medda'r peth mwstásh 'nw. 'Dan ni wedi methu dod o hyd i neb sy'n perthyn i chi, medda fo wedyn. Tyrd i 'nghladdu i a mi fydda i'n llawn perthnasa, medda fi wrtho fo.'

Tomen oedd tomen. Allan yno ar bennau'i gilydd bob sut roedd y pethau eisoes yn mynd yn ddibwys, yn ddiwerth. Roeddan nhw wedi golygu rhywbeth yn eu dydd. Roeddan nhw hefyd newydd gael bod yn dystion i ddireidi mor annisgwyl a heintus a sobrwydd a difrifoldeb mor drawiadol. Ond roedd hi'n bryd iddyn nhw fynd rŵan.

'Doedd dim rhaid iddyn nhw fod mor gas hefo'r beth fach. Nhw a'u bygythiada. Wyt ti mor gas hefo dy wraig yn dy dŷ carpedog a thlawd ag yr wyt ti hefo fi? medda fi wrtho fo. Mi aeth y llwdwn yn gasach fyth wedyn 'ndo? Be wyddwn i bod 'i wraig druan o newydd gael llond bol arno fo ac wedi ffoi oddi wrtho fo a'i hen fwstásh sgubog am 'i heinioes?'

Cododd. Aeth â'r tun paraffîn at y domen. Doedd y beth fach rioed wedi meddwl y basa 'ngwas gwyn i wedi dŵad â chymaint o lawnder mewn cyn lleiad o amser. Roedd y llall yno ar y top uchaf, yn barod. Un boer olaf na chyrhaeddodd. Yn fwy na wnaeth o mewn pum mlynadd ar hugian, fo a'i ffansi Hilda yr hen bitsh iddi. Welai'r ellyll ddim pum munud ar hugian eto. Mi sbiai hi arno fo'n mynd yn golsyn du a hwnnw'n mynd yn ddim. Fyddai 'na'r un llychyn ohono fo ar ôl.

Agorodd y tun paraffîn.

'Eli'r Diafol.'

Dechreuodd dywallt yma ac acw i odrau ac i ganol y domen, a'r anadl yn byrhau'n waeth wrth iddi blygu. A fo doeth efo a dau; annoeth, ni reol enau. Mi fedrai hi wneud heb honno hefyd bellach. Pob dim ond be oedd ar y beth fach eu hangen. Ond doedd o ddim yn mynd i gael yr un dropyn o'r eli, y cythral iddo fo, neu mi fyddai'n ein gadael ni yn rhy sydyn. Mi dyffeia hi o. Roedd arni isio'u gweld nhw'n codi ato fo wrth 'u mympwy, fflam fach, fflam fawr, fflam fach, fflam fawr, fel lician nhw. Fel'na oedd ei drin o. Fel'na y triniodd o hi, y cythral.

O anadl fer i anadl fyrrach, gwagiodd y tun paraffîn. Trodd hi'r caead yn ôl yn dynn arno. Tynnodd focs matsys o'i phoced a'i agor fymryn. Tynnodd fatsen ohono. Syllodd arni am eiliad. Ysgydwodd ben bychan penderfynol.

'Dyna ni. Gwynt teg ar ych hola chi, y tacla.'

Taniodd y fatsen.

'Dyna hwnna.'

Daeth fflamau taclus ar eu hunion.

'A rownd rhyw fymryn. Diffodda 'ta'r bitsh.'

Taniodd un arall.

'Orchfygwch chi mo'r beth fach, mi'ch dyffeia i chi.'

Roedd yn ddi-droi'n ôl, yn rhy hwyr. Roedd y domen yn troi'n goelcerth.

Codod y tun paraffîn gwag a dychwelyd yn araf i'r fainc. Eisteddodd. Edrychodd. Roedd yn dechrau tyfu'n dân da.

'Mi fydd y beth fach yn iawn rŵan.'

Dim ond eistedd i orffwys am ychydig i gael ei gwynt ati. Doedd hi ddim wedi gwneud gwaith mor galed ers blynyddoedd. Ond roedd yn well ei wneud ar un twymiad na rhyw ffidlan bob yn bwt. Rŵan roedd pobman yn glir.

'Ella'r a' i i Werddon eto. Mi wn i be i'w wneud

rŵan. Pam dylwn i aros yn yr hen le yma a finna'n gwybod be i'w wneud a digon o fodd gen i i fynd?'

Roedd o'n sleifar o dân rŵan.

''Dan ni'n cymryd golwg ddifrifol iawn ar hyn, medda'r crymffast. Rheitiach iti gymryd golwg ddifrifol arnat ti dy hun, medda fi wrtho fo, a hynny reit sydyn hefyd, medda fi. Wyt ti'n credu y medri di lwyddo hefo dy fygythiada tyrfus a'r giwad arall 'ma i gyd wedi methu ar hyd y blynyddoedd? medda fi wrtho fo.'

Threchan nhw mohoni hi.

'Ella'r a' i yno'r wythnos nesa. Ac ella . . .'

'Hei!'

'O Dduw annwyl!'

'Sori. Do'n i ddim yn meddwl ych dychryn chi.'

'Chdi a dy feic melltennog!'

Ond roedd Emyr yn mynd heibio i'r fainc ac at y goelcerth. Trodd yn ôl ati, a golwg braidd yn ddychrynedig, braidd yn ddiddeall, ar ei wyneb.

''Dach chi rioed yn llosgi'ch petha?'

Ddaru hi ddim ateb. Dynesodd yntau.

Llygaid ar lygaid. Lwmp dirybudd yn un gwddw, lwmp dirybudd yn y llall. Y ddau lwmp yn cael eu gorchfygu gan ddwy wên. Gwên hen fêts. Ond ei bod yn dristach fymryn.

'O lle doist ti?'

'Ydi bob dim yn iawn?' gofynnodd, ei lais yn llawn ansicrwydd o hyd. 'Ydach chi'n iawn?'

'Oes golwg fel arall arna i?' gofynnodd hithau.

Oedd, ond ddywedodd o ddim.

'Pam 'dach chi'n gwneud hyn?' gofynnodd.

'Fydda i mo'u hangan nhw mwyach.'

'Pam?'

237

'Maen nhw wedi bod yma'n rhy hir. Maen nhw wedi mynd i gredu mai nhw pia fi.'

Roedd ei llais yn ddyfarniad terfynol. O glywed clecian o'r newydd, trodd Emyr yn ôl at y goelcerth. Roedd y fflamau'n llawer uwch na'i phen erbyn hyn. Roedd gwreichion yn tasgu o bob clec yn ei chanol hyd y cae. Ond roeddan nhw ill dau'n ddigon pell oddi wrthyn nhw.

'Tyrd i ista i fa'ma i ddeud dy hanas,' meddai Gerda. 'O lle doist ti?'

Eisteddodd Emyr. Roedd yn dal i rythu ar y goelcerth, yn methu dallt, yn methu derbyn.

'Pam?'

'Hidia di befo. Deud dy stori. O lle doist ti? medda fi.'

'O grwydro a champio,' atebodd yntau'n syml.

'O.'

'Ia.'

Eisoes roedd y gwres o'r trysorau syml i'w deimlo ar ei wyneb.

'Mae golwg digon iach arnat ti beth bynnag.'

'Siŵr Dduw. 'Da' i ddim 'fath â nhw. Ne' mi fyddan nhw wedi ennill.'

Roedd mwg gwyn, roedd mwg llwyd, mymryn o fwg glas, mwg du. Roedd llond tŷ o goelcerth. Pam hwn o bob tŷ?

'Hynna bach s'gin ti i'w ddeud?'

Doedd y goelcerth, wrth gwrs, ddim mor newydd iddi hi.

'Roedd 'na groesffordd fach ddifyr yng nghanol 'coed ddoe,' meddai o yn y man, yn clywed ei lais yn rhyfedd. 'Mi 'rhosis i yno i gael 'y nghinio. Roedd hi'n braf ac yn dawal yno. Mi ddenis lwyth o adar hefo briwsion a dofi ceiliog gwialchan. Os o'n i'n mynd ymlaen mi fedrwn fynd atyn nhw; os o'n i'n mynd i'r dde mi fedrwn fynd i Gaergybi ac Inis Fraoigh; ac os o'n i'n mynd i'r chwith mi ddown at yma. A dyma hi'n ddewis dewis dau ddwrn rhwng chwith a de.'

Roedd clec arall. Clec gwydr, yn ddigamsyniol. Nid clec potel chwaith. Y carlwm yn ei gas gwydr ella.

'Dw i'n siŵr bod y tŷ'n rhyfadd rŵan.'

'Mae 'na fwy o le yn'o fo.'

Byrdda gwag. Tai gwag.

'Rydach chi'n llosgi pob dim.'

'Fwy na heb. Dydw i ddim wedi llosgi dy wely di.'

Llygaid ar lygaid. Ond roedd y llygaid eraill ar y goelcerth.

'Ydi'r llwynog yna hefyd?'

'Fo a'i gynffon goch. Ar 'i ffor i'r un lle â Guto Canol Rhos.'

'Mi fydd hi'n rhyfadd hebddyn nhw.'

Clec arall, clec ddwl, ofer, o rywle yng nghrombil y goelcerth.

'Wyddost ti be sydd yn 'i chanol hi?' gofynnodd Gerda yn y man.

'Y ceiliog,' atebodd o ar ei union.

'Naci. Mae hwnnw ar y top yn fan'na.' Pwyntiodd fys bychan tew. 'Wel yli. Mae o wedi mynd yn barod. Dyna i ti faint o asgwrn cefn oedd gan hwnna. Hy!'

Dirmyg tawel, terfynol.

'Be sy gynnoch chi yn y canol 'ta?'

'Wyddost ti ddim?'

'Gwn,' atebodd o'n dawel. 'Drôr anga'r beth fach.'

'Y cwbwl lot.'

'Da iawn chi,' meddai ar ei union.

'Rwyt ti'n credu hynna 'twyt?'

'Ydw.'

'Rwyt ti'n iawn hefyd.'

Draw, ymhell dros y goelcerth, roedd lori'n mynd ar ei hynt ar y briffordd bell. Gwyliodd Emyr hi, bob yn ail â gwylio'r fflamau a'r gwreichion, nes iddi ddiflannu o'i olwg.

'Ydi'r llythyr wedi mynd hefyd?' gofynnodd wedyn.

'Isio busnesa sy arnat ti?'

Doedd dim awgrym o gerydd yn ei llais wrth ofyn.

'Naci. Isio cadw'i waelod o.'

'Mae o yn nrôr ucha'r beth fach. A llythyr i chditha.'

'Be sy yn hwnnw?'

'A dw i 'di cadw dy gwpwr bach di wrth ochor y gwely. Mae 'na le i ti gadw dy lyfr yn hwnnw.'

'Mae gen i ddau rŵan.' Roedd gwên daclus ar ei wyneb. 'Rhag ofn i mi fynd 'fath â'r un arall 'na sydd 'mond hefo un llyfr ar 'i blydi silff.'

Gwên oer oedd hi.

'Mae'r beth fach wedi cael digon o fudd ynddyn nhw rioed.'

'Be am eich pryddesta chi?'

'Fasan nhw ddim yn 'u gwerthfawrogi nhw.'

'Ydi'r rheini'n fan'na hefyd?'

'Maen nhw'n well 'u lle.'

Roedd arwyddion simsanu ar y goelcerth. Byddai'n rhaid ei thacluso neu byddai ar chwâl yn fuan iawn. Chwiliodd Emyr.

240

'Deud oedd y beth fach ella y basa hi'n mynd i'r Werddon yr wythnos nesa i chwilio am Coill na gCnó. Hoffat ti ddŵad?'

Llygaid hen fêts y munud hwnnw.

'Mi fasan ni'n cael llonydd tro 'ma,' meddai o. 'Ar ôl dangos yn iawn iddyn nhw un waith.' Roedd y goelcerth yn disgyn. 'Mae'r tân 'ma'n dechra chwalu.' Chwiliodd eto. 'Sgynnoch chi ffon?'

'Mae 'na fforch yn cwt talcan. Iwsia honno.'

Rhedodd Emyr i'r cwt. Stopiodd yn stond yn y drws. Roedd y cwt bron yn wag, y geriach a'r trysorau nad oedd lle wedi bod iddyn nhw yn y tŷ am ba reswm bynnag i gyd wedi mynd. Gafaelodd yn y fforch. Roedd y bwrdd bach yn sgleinio yn ei farnais o flaen drws y tŷ. Doedd hwnnw ddim wedi cael mynd ar y goelcerth. Roedd o wedi dychryn gormod o weld honno i sylwi ar ddim arall wrth iddo gyrraedd ar ei feic llwythog. Gwyddai pam roedd y bwrdd bach wedi'i arbed. Trodd lygaid diolch at y fainc. Roedd hi'n eistedd yno, mor llonydd, mor hen. Teimlai'n gynnes gynnes tuag ati. Pam oedd y goelcerth mor fwriadol? Oedd 'na rywbeth heblaw am weithred y fflamau'n mynd drwy'i meddwl? Be 'di'r gyfrinach, Gerda?

Ond roedd y goelcerth yn prysur ddymchwel. Dychwelodd i'r cae bach.

'Cymar ofal. Fynnwn i er dim dy weld di'n llosgi.'

'Mi fydda i'n iawn siŵr. Losga i mo'r fforch chwaith.'

Dynesodd at y tân. Gwthiodd y goelcerth yn ôl at ei gilydd, gwthiadau brysiog, cyflym.

'Mae 'na ddigon o wres yma beth bynnag,' meddai.

Rŵan roedd o'n sylweddoli mor agos at y goelcerth oedd gofyn bod i weld ei hunion gynnwys a'r llafur oedd wedi mynd i'w chodi. Pethau ar dân oedd hi cynt, o'r fainc.

'Nefi Job! Sgynnoch chi rwbath ar ôl?'

Yna roedd yn chwerthin yn braf.

'Ydach chi rioed yn disgwyl i'r Diafol carrag 'ma losgi debyg? 'Ta isio'i dduo fo o fodolaeth ydach chi? Mi'i cladda i o i chi, os liciwch chi. Does dim mo'i angan o rŵan, nac oes? 'Dan ni'n dau wedi gweld lot o betha gwell a gwaeth na hwnna bellach.'

Roedd gofyn bagio yn aml o'r gwres. Roedd gwyddoniaeth gwers a Teleri ac yntau mor swynol ymwybodol o bresenoldeb y naill a'r llall yn troi'n wyddoniaeth ymarferol hefyd wrth iddo brofi bod y mwg o'r goelcerth yn troi tuag ato lle bynnag y safai am nad oedd y gwynt yn ddigon cryf i'w chwythu o'i flaen. Doedd bagio cyflym ddim digon cyflym.

Nefi Job.

'Mae isio dipyn o gyts i losgi'ch gorffennol i gyd fel hyn. Map s'gin i, nid matsian.'

Gwyddai mai gweddillion y llwynog oedd ar flaen ei fforch rŵan. Roedd y gynffon wedi mynd. Mi fedrai'r A35 fynd yn iawn hebddo fo, prun bynnag. Neu aros ble'r oedd hi, dan ei phlancedi. Go brin bod y rheini yn y fflamau.

'Mi gawson nhw dipyn o ail, 'ndo? Roedd y plismyn yn iawn, yn Werddon a fa'ma, yn enwedig wrth bod gen i glais ne' ddau ar ôl. Ro'n i'n meddwl 'u bod nhw i gyd ond un wedi mynd. Chawsoch chi mo'r petha Gwasnaetha Cymdeithasol 'ny, naddo? Rheini oedd y cymêrs, yn enwedig wrth nad oeddan nhw'n gwybod hynny. Dynas fawr a gwas bach, yr un mwya ufudd welsoch chi rioed. A finna'n 'cau'n glir â ffitio i'r llyfr patryma, diolch i chi, ac ella rywfaint i mi. Fedri di wneud rwbath 'blaw chwerthin? medda'r fawr yn 'diwadd, wedi myllio'n seitan. Dw i ddim isio mwytho'ch pen chi, medda fi. Ac mi gamddallton nhw hynny, siŵr Dduw, 'ndo? Roedd pob llyfr seicoleg ar y go wedyn, 'toedd? Mae hyn wedi effeithio ar dy fam, medda'r titw fel picall, yn sbio ar y ddynas i chwilio am gymeradwyaeth a'i wynab o'n goch fel 'i lipstig hi. Os 'dach chi isio rhoid lîd arno fo mi wn i lle cewch chi raff, medda fi wrthi. Nid bod angan un. Wyt ti ddim yn poeni am dy fam? medda fo wedyn ar ôl dŵad ato'i hun fymryn. Ella, medda fi, ond mae'n rhy hwyr i wneud dim 'blaw hynny.'

Yna roedd yn rhythu. Rhoes flaen fforch i symud darn o bren fflamog o'r ffordd. Roedd ei wyneb yn wên odidog.

'Hei! Mi wela i'ch coban anga chi'n mynd. Cael 'i chrimetio heb neb yn'i hi. Sleifar!'

Roedd y fforch yn yr entrychion yn ei buddugoliaeth. 'Ers pa bryd wyt ti'n ffrindia hefo'r ddynas 'ma? medda'r beth fawr 'no wedyn. Biti na fasa gynni hi enw 'te? medda finna. Atab! medda'r llall fel tasa fo'n deud wrth y ci am stopio cachu ar 'mat. Iawn 'ta, medda finna, ers pan ydw i yn y groth. Mi neidiodd y ddynas fel sliwan mewn padall. Mi ddaru ynta'r union 'run peth, yn syth ar 'i hôl hi. Do'n i ddim i fod i wybod y gair hwnnw yn fy oed i ella. Y Cyfnod Allweddol anghywir mae'n siŵr. A dyma nhw'n mynd ati wedyn i falu am rwbath roeddan nhw'n 'i alw'n natur y berthynas rhyngon ni'n dau. Y moch bach trist. Pa haws o'n i â deud wrthyn nhw bod yr eiliada wedi hen roi'r gora i lusgo ers pan gyrhaeddis i yma y pnawn 'nw? Ddaru mi ddim sôn am

Teleri wrthyn nhw rhag ofn iddyn nhw fynd i ddial arni hi hefyd. Fasa'n ddim gynnyn nhw wneud.'

Gwelodd sgwaryn bychan o bapur ar y gwellt, lathen neu well o gyrraedd y fflamau. Plygodd i'w godi. Bonyn siec oedd o, ar ei ben ei hun. Ella'i bod wedi eu tynnu i gyd oddi wrth ei gilydd cyn eu rhoi i'w llosgi. Darllenodd. *John Mur Calchog – cig o'r Dre – £10.36 ella.* Cododd fawd werthfawrogol. Rhoes gip i gyfeiriad Gerda, yn barod am y cerydd sydyn am fusnesa ym mhetha'r beth fach, ond roedd hi wedi plygu'i phen fymryn. Wel, dyna fo. Llosgi'i gorffennol i gyd fel hyn. Fawr ryfedd nad oedd arni hi isio edrych ar y goelcerth drwy'r adeg a gweld yr hanes a'r profiadau a'r cysylltiadau'n darfod yn y fath ryferthwy. Doedd ganddyn nhw ddim syniad.

Roedd ar wneud pelen o'r bonyn siec i'w luchio i'w dynged ond ailfeddyliodd. Rhoes o yn ei boced, yn daclus heb ei blygu. Fe wnâi nod llyfr i'w gofio.

'Gofal yr Awdurdod Lleol! Ro'n i'n piso yn 'y nhrowsus wrth chwerthin. Pa blydi awdurdod? Pa blydi gofal?'

Aeth o amgylch y goelcerth un waith eto hefo'i lygaid beirniadol.

'Dyna hi. Mi ddisgynnith arni'i hun wrth losgi rŵan.'

Dychwelodd at y fainc. Yn gam felly ar y cae bach, cae gêr nymbar dau a rifŷrs gêr, roedd i'w gweld yn drymach.

'Roeddach chi ar fai yn llusgo hon ar eich pen eich hun. 'Tydi hi'n dunnall o fainc. A'r petha 'ma, 'ran hynny.'

Plannodd y fforch i'r ddaear, fel ffarmwr. Gwelodd y gymhariaeth, a chwarddodd.

'Taswn i'n mynd i'r tŷ i weld sut le sy 'no rŵan ac i wneud panad i ni'n dau a dod â hi allan ac ystyn y bwr bach mi gawn ista yn fa'ma a dathlu wrth 'i hyfad hi, a gwylio'ch gorffennol a'ch cyfrinach chi'n troi'n fwg yr un pryd. Fasach chi'n licio hynny?'

Doedd hi ddim am ateb.

'Gerda?'

'Gerda?'

Doedd o ddim am godi'i lais.

'Gerda?'